松がつなぐあした

震災10年
海岸林再生の記録

増補改訂

小林省太

愛育出版

幕末、1853（嘉永 6）年の「御分領中海岸筋村々里数等調並海岸図」に描かれた名取郡の海岸林（仙台市博物館所蔵）

1970 年当時の松林（名取市撮影）

矢印は津波で流された家屋の動き（森清氏が記録）
写真は1999年撮影（東北地域づくり協会提供）

（図案作成・土肥幹人）

震災前の名取市北釜集落（44 ページ参照）

❶仙台空港ターミナルビル　❷三英駐車場　❸北釜橋　❹貞山運河
❺東北大学ボート部艇庫　❻北釜集会所　❼北釜中心部の交差点
❽海岸林の小高い丘の部分

津波に襲われる北釜集落（2011 年 3 月 11 日午後 3 時 56 分、51 ページ参照、毎日新聞社提供）

津波に倒された名取海岸部のマツ（2011 年 5 月 25 日）

吉田俊通・オイスカ
海岸林担当部長

プロジェクトを統括する
佐々木廣一さん

種まきの準備をする「名取市海岸林再生の会」(2014 年 4 月)

苗を海岸に植えつける宮城中央森林組合の職員ら（2015 年 4 月）

ボランティアによる植栽地の排水路づくり（2018 年 4 月）

発芽後のクロマツの苗（右から、発芽確認日、6日後、35日後、111日後）

植えつけから10年間近。7mほどに育ったマツが茂る（2023年12月9日）

植栽地の中央から南を望む。左が太平洋。やや右上部、成長の悪い一画が横長の四角状に薄い緑色に写っている（高さ 40m から、2020 年 9 月 15 日。205 ページ参照）

はじめに

人間の歩みは、三つの大敵との戦いの歴史だったと言われます。自然災害、疫病、飢餓。いくつかがからまって襲ってくることも多く、新型コロナウイルスの猛威は、まだ私たちがこの戦いのさなかにいることをあらためて痛感させられる事態でもありました。

東日本大震災から間もなく13年。この本は宮城県名取市を舞台に続けられている「津波で流された海岸防災林をつくり直す」活動を取り上げています。この営みも自然災害との戦いの一コマであり、次なる災害への備えでもあります。また、歴史的に見れば、海岸林をつくるのは農業を守るためであり飢餓との戦いに勝つためでもあったのです。

この活動は、国際的なＮＧＯ（非政府組織）の公益財団法人オイスカが地元の人々とともに担ってきたものです。１９６１（昭和36）年に誕生したオイスカはアジア・太平洋地域を中心に農業の支援や人材育成、植林などを進めてきた団体で、その活動範囲はいま、ミャンマー、フィリピン、インドネシアなど37の国・地域に広がっています。震災の年に設立50周年を迎えましたが、どちらかと言えば海外の活動が中心で、そのせいか、やっていることの中身に比べて日本での知名度は高くありません。

このプロジェクトには不思議だと思うことがあります。一つは規模です。本来なら国や自治体がやるべき事業の一部を引き受ける。簡単に言えば、「人手も費用もそして技術も、丸ごと任せてほしい」と国や自治体に申し出て進めているのですが、マツを植える１００ヘクタールという広さは名取市の海岸部全域、サッカーのグラウンドなら１４０面分です。生半可な面積ではありません。震災復興には多くのＮＧＯ、ＮＰＯ(非営利組織)がかかわってきたでしょう。しかし、これだけの規模の仕事をなぜ一ＮＧＯが担うのか。本のなかでもずいぶん触れたつもりですが、まだ完全に腑に落ちてはいません。

もう一つの不思議は、規模の大きさにもかかわらず、とくにスタートのころは思いつきや偶然、幸運といった要素がしばしば顔を出すことです。理屈で語れない部分、とくに肝心な時に大切な役割を果たす人がなぜか現れる、という幸運は、プロジェクトの大きな推進力になりました。もちろん、その裏にある情熱や意地、忍耐、共感、信頼といった人間的な感情、あるいは次第に形を成していく周到な計画や理念のようなものと一体になってここまで進んできたわけですが、さまざまな意味で「恵まれたプロジェクト」と言えると思います。

私は、プロジェクトが始まってから4年間は新聞記者として、その後はオイスカのアドバイザーの立場から見てきました。この本のもとになったオイスカの機関誌「ＯＩＳＣＡ」での連載は、客観的な記録ではなく私の目を通したプロジェクトを書きたいとお願いして２０１８（平成30）年に始めたものです。どこまで貫けたかどうかは別として、外部の人間としての関心にしたがって書く、という姿勢を保とうと努力したつもりですし、そのわがままを許してくれたオイスカに感謝しています。そのぶん技術的な説明、記録性は失われてしまったかもしれませんが、そうしたことをまとめるにはふさわしい人がたくさんいます。もちろん、誤った見方も含め内容のすべては私の責任です。

　作家の中島敦が、『西遊記』をもとに『悟浄歎異《ごじょうたんに》』という小説を書いています。なかに、主人公・沙悟浄《さごじょう》が猿の孫悟空の無邪気で強烈な感受性を驚きをもって語る場面があります。「毎日早朝に起きると決まって彼（孫悟空）は日の出を拝み、そして、はじめてそれを見る者のような驚嘆をもってその美に感じ入っている」。このあと、次のような文が続くのです。「松の種子から松の芽の出かかっているのを見て、なんたる不思議さよと眼を瞠《みは》るのも、この男（孫悟空）である」

　海岸の松林や公園の大木、あるいは盆栽のマツは見ていても、マツの芽が出かかっているところを見る機会はまずありません。成長して分厚い樹皮をまとった太いマツと、くしゃみ一つで吹っ飛びそうな芽。私自身、はじめて見たその対照に「なんたる不思議さよ」と感嘆しました。その芽がみるみる成長していく。その変化の速さもまた、驚きに値します。このプロジェクトの不思議さはマツにこそ宿っている、とも言えます。

本のなかには大勢の人が登場します。主な人々には震災当日の年齢を入れました。少し違和感がありますが、そこがすべての出発だという意味を込めてのことです。私は55歳でした。活動の10年をまとめた初版が出た時点で、それぞれ9歳か10歳、年齢を重ねていることになります。

今回改訂するにあたり、震災から11年目以降のプロジェクトの動きを最後に追加しました。初版出版後に大きな変化があった人々、地域もありますが、「震災10年の記録」として残すため、第14章までの修正は明らかな誤りなど最低限にとどめました。そのうえで終章として11年目以降の動きを加え、年表なども追加しました。終章に新たに登場した人々については、原則として取材時の肩書・年齢にしてあります。

掲載写真のうち注記のないものはオイスカ職員、著者が撮影したものです。

（二〇二四年二月）

目次

付録（イラスト・ico.）

第1章　プロジェクトとの出会い

「津波で流された海岸の松林を私たちの手でもう一度つくりたい」――そんな話をはじめて聞いたのは、東日本大震災から1カ月半ほどたった2011年4月22日である。当時オイスカの副理事長だった旧知の渡邉忠さん(67)が吉田俊通さん(41)を伴い、私が勤めていた新聞社を訪ねてきた。二人が、東南アジアでの植林の実績や前日に空から見た被災地の海岸の様子を写真を広げて熱心に話すのを、半ば遠い世界のことのように聞いていたのを思い出す。

その日の日記を見直すと、「夕方ＯＩＳＣＡの渡辺ら来社。被災地の植樹の話など聞く」とだけあった。

そのころ、私たちの関心の第一は原発事故にあった。何が起こったのか、これから何が起こるのか。確かなことはまだわからなかった。もちろん、震災のダメージは日本列島全体に及んでいた。震災は日々の生活にも、人々の心の中にも、経済活動にも、ありとあらゆるところに、爪を立て続けている。そんな時期の、二人の訪問だった。海岸の松林の被災の話は、それまで頭の片隅にもなかった。

一方では、記者として震災の何を書けばいいのか、難しい時期にもなっていた。私は数人の同僚とともに、おもに日本経済新聞朝刊1面の下段にある「春秋」というコラムを担当していたが、3・11の後、震災とまったく無関係の話題はほとんど取り上げられていなかった。よしあしは別にして、「まだ震災のこと以外を書くわけにはいかない」という気持ちが担当記者を支配していたように思う。

ただ、悲しみや怒り、恐れなどの感情に結びつくのではない原稿、読んだ人が未来に向かって前向きになれる記事が書けないか。そんな考えも強くなっていたころである。海岸林再生はそれにふさわしい話題に思えた。何より、震災から間もないこの時期に50年先を見すえて松林をつくろうと考えている人がいることにびっくりした。もう7月11日に東京でシンポジウムを計画しているという動きの速さにも驚いた。

奇跡の一本松（2016年6月）

2001年の米同時テロの9・11と3・11。二つの出来事で特別な日になってしまった11日を、「7月には明るい日の始まりにしたい」という二人の発想にも共感した。ちょうど、岩手県・陸前高田市の高田松原に残った「奇跡の一本松」が話題になっていた。私の好きな昭和天皇の歌「ふりつもるみ雪にたへていろかへぬ松ぞををしき人もかくあれ」も頭に浮かんだ。

春秋

「松葉散る松の緑の伸びにけり」の一句が正岡子規にある。「松葉散る」は初夏をあらわす季語だ。新しい葉が整い古い葉が静かに落ちていく景色が浮かぶ。この季節を迎えずして、東北でどれほど多くの松がなぎ倒されたことだろう。

▼それでも岩手県陸前高田市の高田松原では、2㌔にわたって植わっていた7万本のうち1本が生き残った。高さ30㍍、樹齢250年を超える老松はいま、「奇跡の一本松」と呼ばれる。江戸の昔から海と人の間に立ち続け、大津波にも耐えた姿は、人を励まさずにおかぬ雄々しさと寂しさがないまぜになっている。

▼海辺には松だろう。白砂との取り合わせの妙はもちろんだが、風や砂、高潮、さらに海霧もさえぎってくれる。それで東北に「もう一度松林を」という動きも出てきた。

5月4日の「みどりの日」、海岸林をテーマにしたはじめての記事を書いた。防災に役立つだけでなく、日本の海には松林が似合う。そんな意味も込めて「海辺には松だろう」と記したら、読者からお叱りの手紙が来た。

「松林が大津波に耐えられなかったのは明らかなのに、また松を植えれば、将来同じ惨禍に見舞われる。名高い学者の本にも、海岸にはシイノキ、タブノキなどの照葉樹が適すると書いてある。勉強して正しい話題を提供してください」と。照葉樹というのは葉が深緑色で硬く光沢がある常緑広葉樹のことである。

じつは、海岸のクロマツはなぜ津波に耐えられなかったのか、防災林としてのクロマツ林には欠陥があるのではないか、というのは、震災が林野行政や専門家に突きつけた大きな問題だった。これについては後の章で詳しく触れるが、もしクロマツが海岸林として不適格なら松林を再生すること自体が間違いではないか。読者の手紙はそういった視点があることを教えてくれた。

結論からいえば、いままであれば「海岸にはクロマツがふさわしい」、あるいは「とりあえずクロマツでなければだめだ」と説明できるし、なぜ

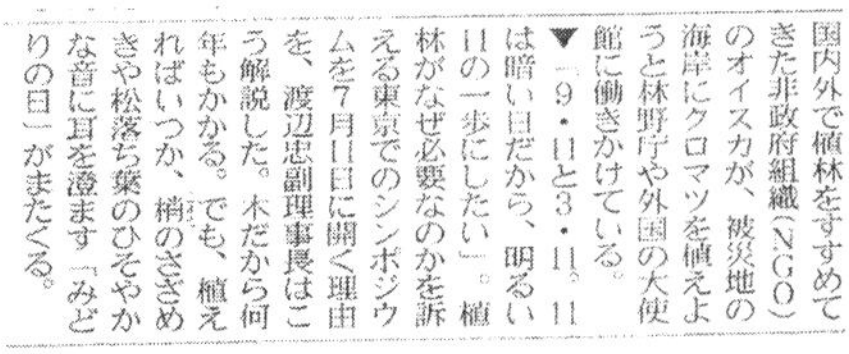

国内外で植林をすすめてきた非政府組織（NGO）のオイスカが、被災地の海岸にクロマツを植えようと林野庁や外国の大使館に働きかけている。▼「9・11と3・11。11は暗い日だから、明るい11の一歩にしたい」。植林がなぜ必要なのかを訴える東京でのシンポジウムを7月11日に開く理由を、渡辺忠副理事長はこう解説した。木だから何年もかかる。でも、植えればいつか、梢のさざめきや松落ち葉のひそやかな音に耳を澄ます「みどりの日」がまたくる。

2011年5月4日付「春秋」

記者として最初に被災地を訪れたのは宮城県石巻市だった（2011年4月）

津波になぎ倒されたかも答えられる。だが、そのころはまさに「勉強不足」。クロマツの是非をめぐる議論も知らなかったので、手紙を読んで冷や汗が出たのを思い出す。

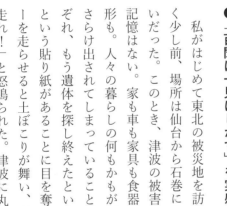

●「百聞は一見にしかず」を実感

私がはじめて東北の被災地を訪れたのはこの記事を書く少し前、場所は仙台から石巻にかけて、宮城県の海沿いだった。このとき、津波の被害を受けた海岸林を見た記憶はない。家も車も家具も食器も子どもの教科書も人形も。人々の暮らしの何もかもが、「がれき」という形でさらけ出されてしまっていること、がれきの山にはそれぞれ、もう遺体を探し終えたという意味の「捜索終了」という貼り紙があることに目を奪われていた。レンタカーを走らせると土ぼこりが舞い、どこからか「ゆっくり走れ！」と怒鳴られた。津波に丸ごとさらわれた石巻市の南浜で見つけたトランプの「スペードの7」が1枚、いまも手元にある。

石巻はそれから何度か訪れて変化を見ていたが、その後、震災の年の秋からは通う場所が海岸林再生プロジェクトの舞台、宮城県名取市に変わっていくことになった。

そこは、何より「百聞は一見にしかず」を実感する場所だった。新たな松林をつくるために海岸部が整備されていくこと、マツの苗の成長、「見渡す限り」広がる植栽予定地。一つひとつが見なければわからないことだった。規模の大きさと変化の速さに触れられる現場だったのである。同じ時期に植えられたマツの苗が一方でぐんぐん育ち、すぐ近くではちっとも大きくならなかったりする。その一点だけでも、「なぜ？」と考え、人に尋ねる面白さがあった。

いつまでも「勉強不足」というわけにはいかない。マツや海岸林に関する知識、林業や林野行政のイロハ、土地の歴史や人々の暮らし……。それまでの記者生活で無縁だったことも学ばざるを得なくなった。海岸の松林は防災のために植えられた人工林であること。林業で「りゅうぼく」とは、普通「流木」でなく「立木」を指すこと。「1町歩」（9917平方メートル、ほぼ1ヘクタール）といった尺貫法の面積の単位がごく普通に使われていること。「国有林」は国の所有だが、それ以外は所有者が県でも市でも個人でも「民有林」とくくられること。方言も含め、いろいろ知った。

この地には初代仙台藩主、伊達政宗が残した施策がいまも息づいている。ただ、どこでもそうなのだろうが、著名人であればあるほど伝説がふくらみ、史実と言い伝えの境界がはっきり

名取市沿岸部地図

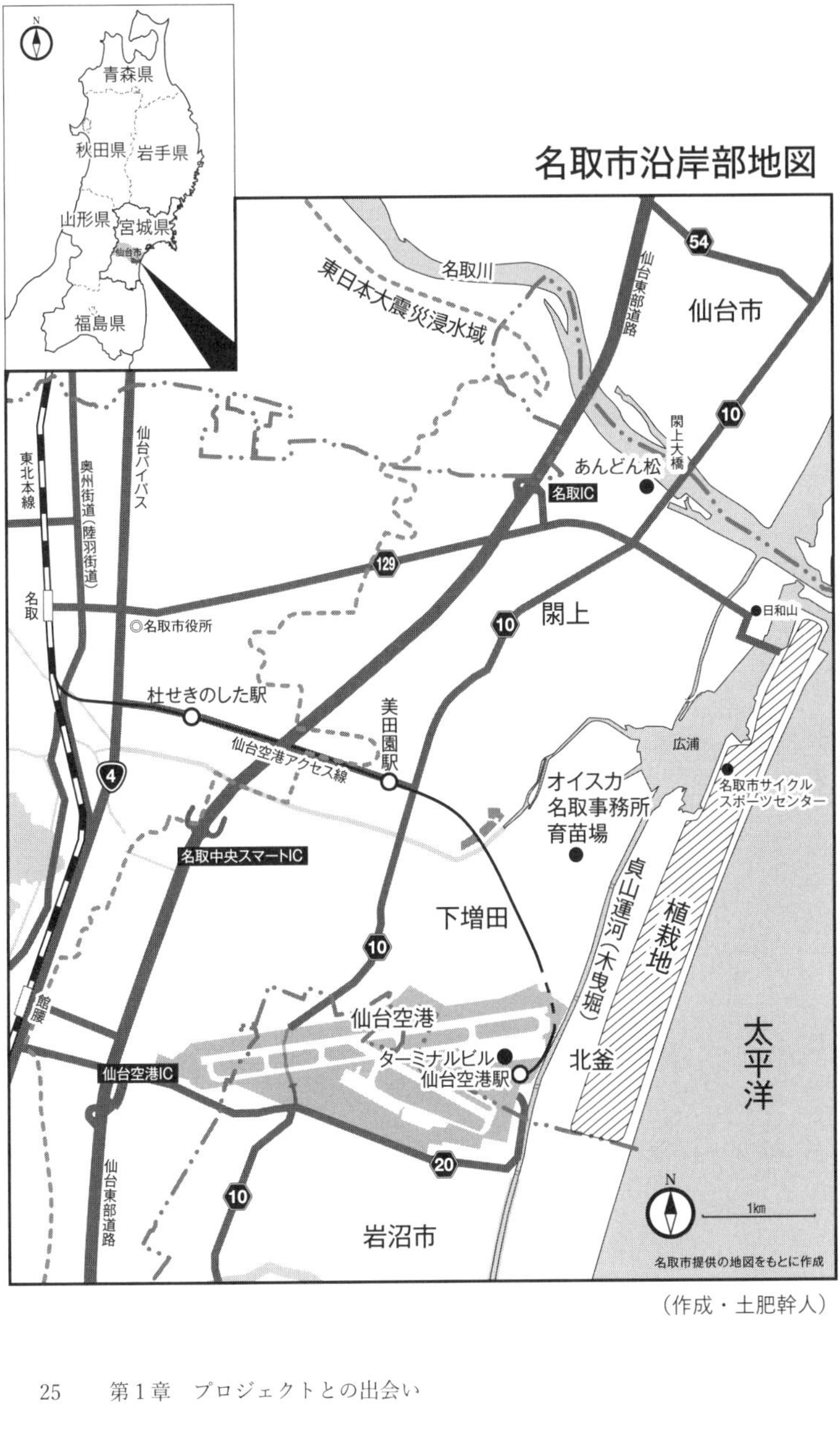
青森県
秋田県
岩手県
山形県
宮城県
仙台市
福島県
名取川
東日本大震災浸水域
仙台東部道路
仙台市
閖上大橋
あんどん松
名取IC
東北本線
奥州街道（陸羽街道）
仙台バイパス
名取
◎名取市役所
閖上
日和山
杜せきのした駅
美田園駅
仙台空港アクセス線
広浦
名取市サイクルスポーツセンター
オイスカ
名取事務所
育苗場
名取中央スマートIC
下増田
貞山運河（木曳堀）
植栽地
館腰
仙台空港
ターミナルビル
仙台空港駅
北釜
太平洋
仙台空港IC
仙台東部道路
岩沼市
1km
名取市提供の地図をもとに作成

（作成・土肥幹人）

植栽基盤となる盛土（2013 年 9 月）

津波はマツを根こそぎ倒した（2011 年 5 月）

しなくなる。仙台湾に広がっていた海岸林はそもそもだれが、いつつくったのか。そのこと自体が伝説の対象になっていることについては、次章で書きたい。

オイスカのメンバーは、震災から2カ月半後の5月下旬にはじめて名取市を訪れた。被災者が不自由な生活を送る避難所である。それから地元の人々に呼びかけて、クロマツの苗づくりのために「名取市海岸林再生の会」をつくり、苗を育てる畑を借り、現場で指揮をとる人材を見つけ、事務所も設置した。そうしたそれぞれの過程は決してスムーズに進んだわけではない。それでも震災の1年後には種まきの態勢が整い、プロジェクトは歩み始めるのである。

一方、倒れたり立ち枯れたりした海岸のマツは片づけられ、更地には高さ2～3mほど土が盛られた。その後、マツの苗を風や砂から守るための垣根や柵が設けられた。こうした基盤の整備は、県有地や市有地を含め、国（林野庁）の仕事だった。盛り土は、強い松林をつくるための方策で、震災でなぜマツが流されたのか、その問いに対する答えでもあった。

しかし、被害を受けた海岸部の盛り土には膨大な土砂が必要になる。もともとの地盤の土砂にはない性質を持つ山間部の土砂が各地から運ばれてきた。その性質の違い、とりわけ水はけが、植えられるマツの苗の成長に影響を及ぼすことになる。それがわかってくるのは、まだ数年先である。

●公共事業を丸ごと引き受ける

マツが植えられる名取市の海岸は、海に沿って南北に長さ約5km、幅約200m、ざっと100町歩（100ヘクタール）の区域である。土地の所有者は海側から順に宮城県、名取市、国に縦長に分かれている。プロジェクトを進めるための協定書を、1通は宮城県、名取市と、もう1通は国（林野庁仙台森林管理署）とオイスカが結んだのは、最初の植えつけが始まるわずか2カ月前の2014（平成26）年2月だった。

協定によって、この区域は「名取市民の森」と名づけられた。

協定を見ると、プロジェクトはオイスカが「やりたい」と申し入れ、国や自治体が許可するという形になっている。だから国や自治体は「活動を（オイスカに）行わせるものとする」のであり、「活動の実施に要する経費はオイスカが負担する」のである。

植栽地に建てられた看板には「名取市民の森」であること、協定を結んで行われている事業であることが明記されている

海岸林という防災上欠かせないインフラづくりを、NGOが金から技術からマンパワーから丸ごと引き受ける。国や自治体がそれだけオイスカを信用した証《あかし》だが、同時に、国や自治体が公共事業をNGOに「丸投げ」したようにも見えた。こうした形で震災からの復興が進んでいくことには、自分の常識が覆る気がした。

それは、規模が自分のイメージとかけ離れていたせいでもある。仙台森林管理署は名取の海岸部のうちの国有地9・2ヘクタールを「小分け」する形で、オイスカを含む12の団体と協定を結んで植林や手入れの活動を委ねた。担当面積はオイスカが2・9ヘクタールで飛び抜けて広く、他の11団体はそれぞれ0・06〜1・6ヘクタールにすぎない。

一方、宮城県と名取市はオイスカにすべてを任せる格好で90ヘクタール分の協定を結んだ。

山歩きのとき、企業や労働組合、NGOやNPOなどの名前を冠した「○△の森」といった看板をみかけることがある。環境保全活動の名のもとに、限られたスペースでメンバーが慈しむように木を育てる——NGOの活動にはそんな固定観念があった。そうした先入観と、いわば「ひと山引き受ける」というこの活動の規模とが、頭の中で結びつかなかった。

私にとってプロジェクトを見続けるということは、林業、地域の暮らしや文化、NGOの活動のありかたを学び続けることでもあった。震災からこれまでを振り返ると、プロジェクトは山あり谷ありだった。それはあたりまえである。しかし、トータルに見れば順調に進んできたといえるだろう。その経緯を詳しくたどる前に、時計を震災の前に戻そう。

第2章　北釜というところ

世界文化遺産になっている静岡県の三保松原を２０１８（平成30）年の２月に訪ねたとき、白砂青松の浜辺と遠くの富士山という絶景のほかに、目についたものがあった。高く積まれた半透明の大きなゴミ袋である。中身はすべてマツの落ち葉だった。

三保松原の松林はざっと30ヘクタール、３万本。そこからいったいどのくらいの落ち葉が出るものなのだろう。静岡市観光交流文化局文化財課は、正確なデータはないというが、ごく一部を調べたところ、１５５平方メートルの松林から57・5キログラムの落ち葉を回収したという。単純に計算すると、30ヘクタールの松林からは１１０トンあまりも出ることになる。うず高くもなるわけだ。

秋から冬にかけて、枯れた落ち葉を松林から取り除くことは、かつては二重の意味で大切だった。土壌の富栄養化を防いでマツ

捨てるために集められた三保松原の松葉（2018年２月）

北釜集落は太平洋と仙台空港の間に広がっていた（枠内、１９９９年９月撮影／東北地域づくり協会提供）

の成育に適した環境を守るため、そして、松葉を燃料として活用するためである。しかし今日、燃料としての使い道はない。肥料などに使えないか研究は進められているが、まだ決め手はなく、三保松原の松葉の山も捨てるしかないのが現実だ。

宮城県名取市の沿岸部の南端、海岸林に守られて人々が暮らしていた北釜集落でも、ガスが普及するまで松葉は貴重な燃料だった。ここで生まれ育った人々は毎年、「松葉さらい」という作業に携わっていた。もう実際に行われることはなくなったが、名取市の北、仙台市宮城野区の新浜《しんはま》地区で２０１９（令和元）年、長老の瀬戸勲さん（68）が作業を再現するのを見る機会があった。新浜には震災後も海岸近くにマツがまとまって残った場所があり、秋になると落ち葉がたまるのである。

まず、竹の熊手で松葉をかき集める。これをまとめて直径１メートルほどの小山のような塊をつくる。

これを「ツクネ」と呼び、ツクネづくりはおもに集落の女性が担った。それからが男性陣の出番。ツクネを三つ重ね、熊手でたたいて形を整えながら直径30~40センチメートル、長さ60~70センチメートルくらいの俵のような形にする。これが「マルキ」と呼ばれ、重さは10キロほど。マルキ一つがひとマル、ひとマルキという単位になる。要は、上手な人がつくると枯れた松葉どうしが互いにうまいこと絡み合って、袋に詰めたり、ひもでがんじがらめにしたりしなくても固まったまま崩れないのである。

「松葉さらい」の実演をする瀬戸勲さん（仙台市、2019年11月）

住民は力に応じてマルキを三つ四つ束ね、背負ったり馬車に乗せたり、あるいはリヤカーを使って持ち帰った。瀬戸さんによると、普通の家庭なら50~60、小作人を使う大家族でも１００マルキあれば煮炊きや風呂などに必要な1年分の燃料になったという。

感心したのは作業がみごとに自然に溶け込んでいることだった。縄など作業に必要なものは、稲わらやそこいらに落ちている小枝を利用してつくる。稲わらを木槌でたたいて柔らかくしてから縄をなっていく仕方一つにも、地区に伝わる文化があった。もう一つは「互助」の仕組み。松葉さらいをする場所は家ごとにあらかじめくじ引きで決まっていたが、マルキが余ったり足りなくなったりした場合には融通し合っていたという。

●若いお嫁さんの息抜きの場所

松葉さらいは各地で行われ、手順や名前が少しずつ違っていたようである。北釜では、新浜で「ツクネ」と呼んでいたものが「カッツゲ」という名前だった。ここではカッツゲを六つ束ねて「マルキ」をつくり、ずらり並んだマルキを前に参加者がくじ引きで持ち帰るものを決めた。

鈴木かつ子さん（左）と櫻井やへのさんは、昔の北釜の生活を懐かしそうに語った（2016 年 5 月）

北釜でもカッツゲづくりは主に女性の仕事だったが、じゅうぶんに固く大きさも均等なカッツゲをつくるにはかなりの熟練を要した。下手だと熊手で松葉をかき集めるだけの簡単な仕事に回された。

晩秋から正月前まで行われたという松葉さらいは年長の女性が万事を取り仕切り、カッツゲのできをチェックしたり、おしゃべりしてサボる若いお嫁さんを叱ったりした。「年とったばあさんは『あそこの嫁はだめだ』とかおっかねえんだね。熊手持って『こらあ！』っておっかけてきて怒られるんだね。でも、みんなで人の噂とかへらへら話してね、うんと楽しかったの」。震災後、昔話を聞かせてくれた鈴木かつ子さん（78）と櫻井やへのさん（77）は懐かしそうだった。

二人とも北釜で生まれ育ち、北釜の家に嫁いだ女性。かつ子さんは「毎晩じいちゃん（義父）が頬《ほお》かむりしてやってきて、息子にさけろけろ（息子にくれ）と口説かれ」、40番地から39番地に嫁入りしたのだという。「じいちゃんはほんとにいい人だった。（実家が）隣だから何でも聞こえっけど、一回も家さ戻ったことはねえんだ」。かつ子さんもやへのさんも婚家に見込まれて結婚したが、お姑さんのもとで家事をしていた若い主婦にとって、松林に出向いての作業はつかの間の息抜きでもあったのだろう。「嫁はとくにね。いまは違うけど昔は家ではお姑さんの言うこと聞かないとならねえからね」。そう言うやへのさんはカッツゲづくりが上手なことで知られていた。

松葉さらいが年中行事だったのは、昭和40年代まで。それまでは風呂やトイレが母屋の外にある家も多かったが、燃料がガスにかわって風呂は家のなかに移り、面倒な作業は廃れた。松林ではショウロなどのキノコ狩りも続けられ、それが人々の楽しみでもあった。ただ、「キノコだって松葉さらいをしたから見つけやすかったの」とやへのさん。松葉さらいがなくなれば、キノコ狩りもだんだんしなくなるのが道理だろう。

全国にある海岸の松林はほとんどが人工林である。名取の海岸林はどのようにしてつくられたのだろう。関ヶ原の戦いがあった１６００（慶長5）年、伊達政宗が領内の砂浜への造林を命じたのがそもそもの始まりだと伝えられ、宮城県などの資料にもそう書かれている。海岸に近い湿地を水田として開発するための砂よけ、風よけが目的だったという。

家臣の和田因幡守《いなばのかみ》が遠州（静岡県浜松市）から取り寄せたクロマツのタネで翌年から苗木を育てはじめ、順次海岸に植えつけられた。造成された松林は「潮除須賀松林《しおよけすかまつりん》」と呼ばれた。「須賀」とは、海岸の砂地を指す言葉である。和田因幡守はのちに仙台藩の初代山林奉行になったというから、海岸林だけでなく17世紀前半の仙台藩の林業政策全般を担った人なのだろう。

ちなみに政宗は水運のため、仙台湾に沿って堀の掘削も命じたといわれ、この水路が干拓のための排水路としても使われたという。堀はいま、政宗の追号（故人に対する称号）をつけて「貞山堀」「貞山運河」と呼ばれている。

ただ、古文書などを通じて仙台藩の藩政を研究する菊池慶子・東北学院大教授は、この地方の海岸林造成のスタートを政宗の事績とすることについて、「（古文書で確認できず）確証的な事実ではない」と記している。1918（大正7）年に当時の農商務省山林局が出した全国調査の報告書、「海岸砂防植栽事業ニ関スル調査」にも、宮城県各地の海岸林の沿革については「起源詳《つまびらか》ナラザルモ伝説ニ依《よ》レバ……」などとあって、「政宗ゆかり」説に裏づけを与えていない。

菊池教授によれば、史料で裏づけられる仙台湾岸の海岸林造成の始まりは、1650年ごろ。1611（慶長16）年にあった「慶長三陸地震津波」で海水をかぶり荒廃した開拓地を新田に開発する過程で、飛砂や強風の被害を防ぐため、沿岸部に領地を持つ仙台藩士の川村孫兵衛によって植えつけが始められたという。1701（元禄14）年に藩が幕府に提出した「仙台領国絵図」には、藩内の海岸に沿って松林が描かれている。とくに名取の付近の海岸林は色が濃い。松林の濃淡は「植林の広がりの順序を推測させる」と菊池教授。つまり名取のあたりは、65キロメートルに及ぶ藩内の砂浜海岸のなかで最も早く植林が始まった可能性が高い、というわけである。

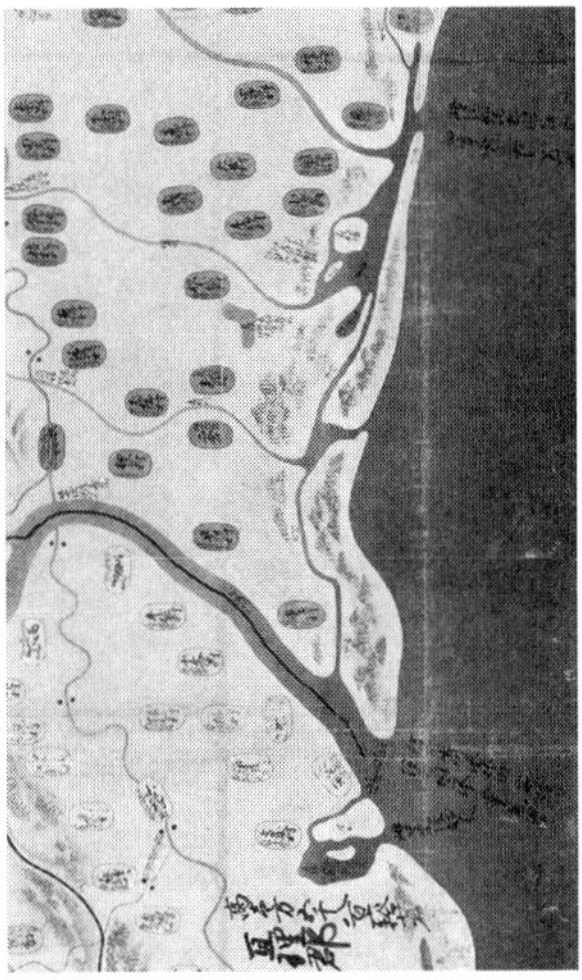

「仙台領国絵図」（1701年作成、宮城県図書館所蔵）の中央海岸部（現 名取市あたり）にはクロマツが描かれているのがわかる

●「失われては植え」の繰り返し

藩の政策によって江戸時代の前半には防潮、防風のための海岸林が広く形をなしていたことに間違いはないだろう。１９５３（昭和28）年に宮城県林務部などが出版した「宮城懸の海岸林」は、「仙台藩65万石の維持がこの海岸林の造成管理によってなされたと云うても敢《あ》えて過言ではない」と海岸林の価値を強調している。

江戸期を通じて、仙台藩自体や領地を持つ各地の家臣、地元民も植えつけや手入れに精を出した。ただ、枯れる木もあれば、建築用の木材や薪として伐《き》られる木、盗伐《とうばつ》される木もある。

海岸林をつくる人々（名取郡閖上町・東須賀、1936年、宮城県林業振興協会提供）

北釜では砂地を利用したさといも栽培も行われていた（昭和40年代、名取市提供）

飢饉《ききん》のときにはマツの皮を剝《は》いで粉にし、米や大豆とまぜて「松皮餅」をつくりもした。もちろん災害もあるし、開発で大きな面積が消えてしまうこともあった。

こうして「失われては植え」は、江戸時代から戦後まで繰り返された。その間のできごとについてはいろいろな記録や証言が残っているが、その一つに大正天皇即位記念植樹がある。1916（大正5）年3月、北釜集落を含む下増田村の村民が総出で海岸の「三十六町八反歩（約36ヘクタール）」にマツの苗30万株を植えたという。

この植林を記録した「大禮記念植樹記」と題する石碑が、東日本大震災の津波で流され、5年後の2016（平成28）年に見つかった。碑文は漢文で刻まれているうえ、一部は劣化して読めない。ただ、震災前に記録された読み下し文によれば、「老若男女相競《あいきそ》」って仕事に就き、大正5年3月11日から15日までで終了、「わずか5日間村民一同心を一つにして」作業した、と書かれている。経費は１６００余円とあった。

この本で取り上げるプロジェクトの「10年間で１００ヘクタールに苗50万本を植える」計画と比べると、3分の1の規模を5日間で成し遂げてしまうという破天荒な植樹だった。いくら村民総出でもこれはあり得ない。菊池教授は、大正天皇即位記念の植樹は全国各地で行われ、壮大な計画と実際との間に差があったケースが指摘されているとして、「一桁減らした三万本が最大だろう」と書いている。苗と人手の確保を考えれば、それでも大変な作業。いずれにせよ、碑文を鵜のみにできないこと、それでもかなりの規模で植林が行われたことは確かである。経費の１６００円をいまのお金に換算するのも難しいが、ざっと数百万円から１０００万円程度だろうか。

こうした歴史をたどっていくと、凶作や不況で窮乏する農民に仕事を与える公共事業として植林が行われたこともあるし、津波などの被害からの復興のための植林もあった。

名取の海岸林の歴史の一端は、震災の津波に耐えて残った「愛林碑」にも残っている。１９５９（昭和34）年に建てられた石碑には、戦前、旧陸軍飛行場建

愛林碑は津波に流されず今も海岸に建っている（2014年1月）

設のため農地を提供せざるを得なくなった北釜の人々が代わりに与えられた国有海岸林を開墾したこと、それで小さくなってしまった海岸林を補強して農地を守るため、今度は戦後になって湿地帯に10年がかりで防潮林を造成したことが、携わった人の名とともに記されている。

この碑については第10章でも触れるが、地元の人たちがつくっていた開墾組合や共用林野組合の役員として碑に名が刻まれているのは、かつ子さんややへのさんの親たち。碑文は二人が通っていた下増田小学校北釜分校の大宮貞治先生の筆によるものだ。「先生は全教科教えていたけど、特別習字が上手だったね。奥さんは裁縫の先生で、農閑期になると裁縫習ったのね」。思い出話にまた花が咲いた。

櫻井泰治さん（2016 年 5 月）

かつ子さん、やへのさんも戦後に結婚してから、クロマツの苗を植えたことがある。この作業は「松子植え」と呼ばれた。「県の人たちの指導を受けながらね。教えてもらえば簡単なの。穴を掘って植えて『普通の土』を入れて、あとは藁《わら》を風よけに立てて砂かけて飛ばないようにしてね」。これも農閑期の共同作業で、お嫁さんたちの楽しみだった。

海岸林の草刈りも集落にとって大切だった。松林の管理というより、刈った草をたい肥や牛、馬、豚の飼料にするからである。そのルールをやへのさんの実兄の櫻井泰治さん（84）が説明してくれた。

「北釜の松林に入る道は2カ所あって、そこに『番兵』がいるんです。

海岸林保護組合の会長なんかが当番で立っててね。それで、6時なら6時になると、馬車が一斉に入れるんだね。そうでないと早く行った人が按配よく刈っちゃうからね」。抜け駆けは許されず、ヨーイドンで「草刈り競争」をしたわけだ。「松葉さらい」の抽選もそうだが、集落には松林の管理をめぐって「平等の原則」があったのだ。

●お仕置きの場になった海岸林

太平洋岸に近い現在の名取市東部は、平坦で肥沃なことから「名取耕土」と言われていた。海岸の松林はその耕土を守っていただけではない。集落の人々に燃料や飼料も供給していた。しかし、北釜の人々の話からは、今日に近づくにつれて松林がどんどん暮らしの遠景に退いていったことがはっきりわかる。

「松林のありがたみ？　はっきり言ってあんまり感じなかったねえ」というのは、櫻井重夫さん(60)。泰治さんややへのさんと縁続きではないが、北釜に長く続く農家に生まれ、自身も北釜でメロンやチンゲンサイ、コマツナをつくってきた。東日本大震災の後も場所を移して農業を続けている。マツの苗づくりのために地元の人たちでつくった「名取市海岸林再生の会」の副会長でもある。震災前、集落の周辺にはビニールハウス約千棟が立ち並んでいたが、農家にとって、海岸林は道路などと同じ「あるのがあたりまえ」のインフラだったのだろう。

それでも、重夫さんの世代だと落ち葉や松かさを燃料に使ったり、キノコを食べたりという「松の恵み」を覚えているし、子どものころの遊び場所としての記憶も鮮明だ。松かさは学校のだるまストーブにくべただけではない。「戦争」と称して松かさをぶつけ合いながら林のなかを走り回った。「マツの木4本にロープを回して、なかの四角いところをリングにしてプロレスもやったねえ」

重夫さんの長男、重之さん(24)は、横浜に住んで会社員生活を送っている。物心がついたのは平成になってからで、松林を切りひらいてつくったグラウンドやプールで遊ぶことはあっても、林のなかで遊んだ記憶はないと言う。「うっそうとしていて、野球のボールが入っちゃうと『しょうがないや』と探しに行くのも諦めるくらいでした。おじいちゃんが猫の子を林のなかに捨ててきて、泣きながら探しに行ったのは覚えていますけど」

2018年5月の植樹祭での櫻井重夫さん(上)と重之さん

親子の記憶が重なったのは、「お仕置きの場」としての松林だった。そのころ、小高くなっていた林は「山」と呼ばれていた。親は「山さ連れていくぞ」と言っていたずらした子どもを脅し、子は「一度入ったら出てこられない」とおびえて謝る。平成になると、海岸林はそんな場所にもなっていた。

重之さんがその価値を知った数少ない経験は、自宅のすぐ東(海)側に広がる松林が日射しを遮ってじゃまだと祖父に訴えたときだと言う。「おじいちゃんに、あれは防風林といって伐っちゃいけないものなんだと教えられたんです」

菊池教授によると、江戸後期の1801(享和元)年、全国を測量して歩いた伊能忠敬一行が北釜に入り、「家五十一軒」という記録を残している。それが「江戸時代の北釜の姿をいまに伝える唯一の文字情報」だという。北釜は小さな集落で、長い間にわたって決して便利な場所ではなかった。はじめて路線バスが通ったのは重夫さんが小学校4年のとき。これがスクールバスとしても使われ、子どもの重之さんも4キロメートル離れた小学校にこのバスで通った。

「北釜」という集落の名は正式な住所にはなく、名取市下増田字屋敷という。下増田にあった七つの集落のうちで一番貧しかったという人もいる。伊能忠敬の時代から200年を経て、震災前には109世帯、約400人がここに住んでいた。そのうち70世帯が専業、兼業の農家だった。

「キタカマクイーン」の名もついたメロンは、1月の播種から6月の収穫まで手間がかかり、値段も外見に左右される。病気などで「パー」になることも少なくない。一方、コマツナやチンゲンサイは、2カ月足らずで収穫でき、大儲けもできないがリスクも小さい。そのため、メロンは市場に出さずに知り合いに売る「庭先販売」が多くなり、主力産品は徐々にハウス栽培の葉物になっていった。

2009年のはじめだから震災の2年前である。そんな集落に、1980年に愛知県で生まれた写真家、志賀理江子さんがたまたま住みついた。若手写真家の登竜門といわれる「木村伊兵衛写真賞」を受賞していた彼女が「宇宙人のように」北釜にやってきたのは、まったくの偶然。集落に惹かれて借家にアトリエを構え、「町の写真家」として集落の行事などを撮りながら、お年寄りから順々に、一人ひとりから個人史や生活を聞き取っていく作業を震災まで続けた。

そのことを書いた彼女の文章には、この集落で味わった不思議な感覚がそのまま表現されている。例えば、彼女が「この世で、一番きれいなものって何だと思いますか?」と尋ねても、おじいさんには質問が通じない。「好きな食べ物は?」と聞いても、「食べ物……」と答えが途切れてしまう。それでは、と肉か魚かどちらが好きか聞くと、「肉は肉、魚は魚」と。こうしたやり取りを通して、北釜の人々が持っている文字にできない感覚を五感で感じ取っていく。

そして、志賀さんは「いろいろな人の口から……何度も出てくる」と気づいた言葉を書き記している。それだけははっきりしている。「どこさも行かねぇー」という言葉である。

第3章　震災の日

「しまった。水を止め忘れたか」。森清さん(56)は自分のビニールハウスの中が水びたしになっているのに驚いた。2011(平成23)年3月11日(金)午後のことである。

この年は4月に統一地方選が予定されていた。2時46分、宮城県議選に立候補する人の陣営の会議に参加していた森さんは、激しい地震の後、急いで名取市の中心部から7キロメートルほど離れた北釜に車で戻ってきたのである。会合があったホールの窓ガラスはばらばら落ち、途中の信号はすべて消えていた。名取市を南北に貫く国道4号線のバイパスは車が数珠《じゅず》つなぎで、横切るのに難渋した。

ほかの畑でも、水と砂が噴き出している。アリジゴクにつかまったかのように動けず、トラクターに引っ張ってもらってやっと脱出した軽トラックもあった。だれも見たことはなかったが、後から思えば地下水位の高い砂地の北釜では地震による液状化現象が起きていたのである。

帰り道、岩手の方で津波が出始めた、というニュースをカーラジオで聞いた。一方で、「北釜には津波は来ないんだ。こないだだってそうだった」ということも頭に浮かんだと言う。

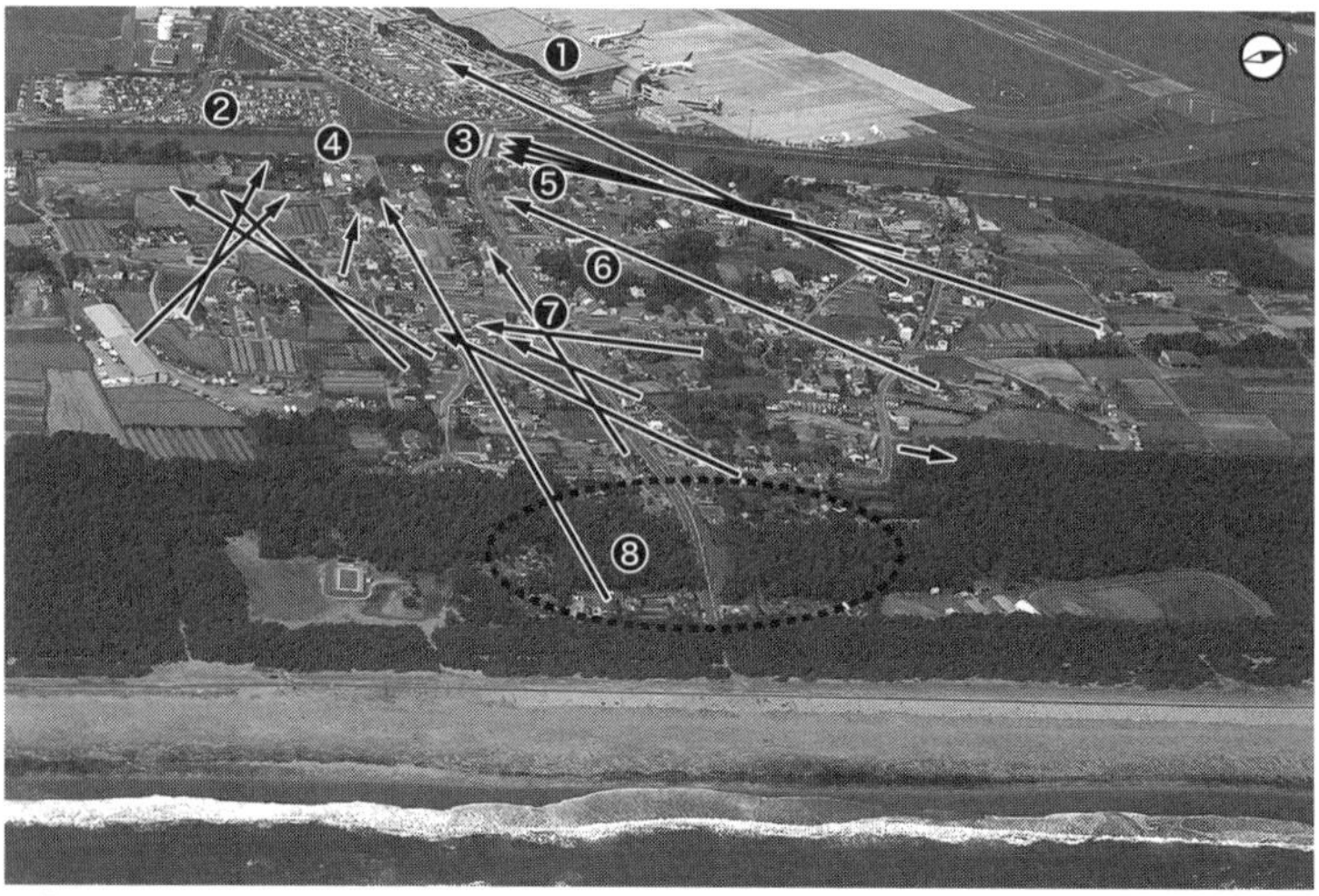

①仙台空港ターミナルビル　②三英駐車場　③北釜橋　④貞山運河　⑤東北大学ボート部艇庫　⑥北釜集会所　⑦北釜中心部の交差点　⑧海岸林の小高い丘の部分　←矢印は津波で流された家屋の動き（森清氏が記録）。口絵にもカラー写真　写真は1999年撮影（東北地域づくり協会提供）

消防団で北釜地区の責任者を務めていた森さんには、何より住民の安全に責任があった。いったん自宅に戻り、慌てる妻や近所の人に「空港へ」と指示すると、地区を回って避難を呼びかけようと広報車を止めてある小屋に向かった。しかし、車にはいち早く別の消防団員が乗って活動を始めていた――。

話は少しさかのぼる。

北釜には高台がない。津波の不安は長く人々の頭にあった。一番近い安全な建物は仙台空港のターミナルビル（写真①）である。集落の中心部（写真⑦）から大人なら歩いて5、6分。そこを万一の場合の避難所にすることで空港側と話がまとまると、しばらくしてチリで大地震が起きた。2010（平成22）年2月27日（土）

午後(日本時間)。マグニチュード8・8。翌日の朝、宮城県以北の東北地方太平洋岸に大津波警報が出た。日本での大津波警報は17年ぶり。気象庁は最大3メートルの津波が押し寄せるとの予報を発表した。

北釜の多くの住民は、町内会や消防団の指示にしたがって空港に避難した。結果的に、仙台港の潮位の変化は最大で0・9メートル。被害はなく、夕方まで椅子に腰かけていたお年寄りは「家ならゴロゴロしてられるのに。疲れた」とこぼした。森さんが「こないだ」と言ったのはこの地震のことである。

もう一つの地震が震災の2日前、3月9日(水)の昼前にあった。北釜は震度4。警報は出なかったが、消防団は広報車を出した。その時、集落の中で空港利用者向けに駐車場を営む団員が、「仕事が立て込んでいて(活動できない)……」と森さんに手を合わせた。「大丈夫」と森さんは応じ、都合のつく団員とともに海辺の釣り人にも注意を促すため車を走らせた。防災無線を使って住民にも警戒を呼びかけたが、この日も被害はなかった。

3・11の地震の後にいち早く活動を始めていた消防団員は、2日前に参加できなかった櫻井歩さん(48)。「申し訳ないっていう思いがあったんでしょう、多分」。森さんはその日を振り返った。

●それぞれの「地震と津波の間」

遅れて広報車に合流した森さんは、団員とともに4人で地区を回り、まず一人暮らしの高齢者や体の不自由な人に声をかけた。集落で一番海寄りに住んでいたお年寄りは、「ばあさん（妻）がまだ買い物から戻ってねえから」と柱にしがみついた。「津波は来ねえ」「（自分は）いいから」とも言って逃げようとしない。それでも森さんたちは無理やり車に乗せた。北釜橋（写真③）には地震で段差ができてしまい車は渡れない。そこからは歩いて空港に逃げるよう言い聞かせ、集落に戻った。後の話になるが、「ばあさん」も別に避難して無事だった。

しばらく集落を回ったあと、集会所（写真⑥）の前で森さんだけ車を降りた。無線で名取市役所や消防署と連絡をとるためである。携帯電話は通じない。広報車に残った3人は「もう一回りしてきます」と言って南に向かった。結局、無線はうまくつながらなかった。

森さんと同じ会議に出ていた町内会副会長の高梨仁さん（62）も自宅に戻ったあと、避難を呼びかけて歩き回った。自宅では飲みかけの焼酎の瓶が倒れた程度で、「たいしたことない」と思い、地区の役員が集まる手はずになっていた一次避難所の集会所に向かった。途中、姉の多美子さん（75）の家に寄った。姉はいたが姿は見えなかった。「だめだぞ、逃げねえと」と呼びかけると、「わかった。いま逃げっから」と声だけ聞こえた。集会所への道々、逃げ遅れている人がいないか確かめ、いれば空港への避難を呼びかけた。

鈴木英二さん（69）は市内の医院で、持病の治療のため点滴を受けていた。地震に驚き、自分で点滴の針を抜いて外に飛び出した。腰が抜けたように立っていられない90代の夫婦を落ち着かせて揺れが止まるのを待ち、車で北釜の自宅に戻った。ただ、森さんや高梨さんと違い、いつもは聞くカーラジオのスイッチをこのときは入れなかった。傷んだ橋を避けて遠回りする間、なぜか津波のことはすっかり頭から抜け落ちていた。

自宅にだれもいないので不思議に思い、様子を知ろうと今度は自分が経営する会社に向かった。貞山運河（写真④）の西側、空港に近い三英駐車場（写真②）である。会社にもだれもいない。と、いったんは空港に逃げていた社員が一人戻ってきた。相変わらず津波が念頭にない鈴木さんは、避難のことも頭に浮かばない。地震でモノが散乱した事務所を片づけようと、社員に声をかけた。

櫻井重夫さんは、北釜の自宅で野菜の出荷準備をしていた。積み上げた葉物の野菜が地震で「ぐじゅぐじゅ」に崩れた。隣家の人も促してすぐ空港に向かったのは、大地震の際の行動が頭に入っていたからだろう。空港に着いてから30分以上、余震以外は何も起きなかった。

毎日新聞東京本社のカメラマン手塚耕一郎さん（33）はヘリコプターに乗って取材をしていた。春の選抜高校野球に出場する青森県の光星学院高校（現・八戸学院光星高校）や東北電力女《おな》川《がわ》原発（宮城県女川町・石巻市）などの航空写真を撮り、南へ向かう。日本三景の一つとして知られる松島の沖で地震を知った。携帯電話の速報にも「震度6」と出た。空にいたので、揺れの

手塚耕一郎さん

鈴木英二さん

高梨仁さん

森清さん

実感はまったくなかった。

仙台駅周辺では人が建物から飛び出し、火災が見えた。キリンビール仙台工場（仙台市宮城野区）の大きなタンクがひっくり返っていたので写真を撮る。大津波警報は出ていたが、まだ海岸に変化は見られなかった。当初の予定通り、給油のため午後3時40分過ぎに仙台空港に着陸した。

しかし、空港は機能停止の状態だった。滑走路周辺に人影もない。ヘリの乗組員は「もうみんな避難しているから給油はできない」と聞かされた。燃料はほとんどない。通信が途絶えて写真を送ることもできない。ヘリの中で、思案に暮れた。

森清さん、高梨仁さん、鈴木英二さん、櫻井重夫さん、手塚耕一郎さん……。地震発生からほぼ1時間。それぞれが津波の襲来を知ったのは、そんなときである。

●「金華山があっから津波は来ねえ」

約100世帯、400人が住む北釜では、テレビやラジオで地震の規模や津波の危険を知った人が多かった。１９７８（昭和53）年の宮城県沖地震から30年たって、「地震は平均37年周期で起きてきた。またある」と言われだしていた。だからこそ避難の段取りが決められ、「大地震の時は空港へ」という行動のパターンが住民にもインプットされていたのである。

あらたな宮城県沖地震の発生が心配されるなか、防潮堤のない名取の海岸は、宮城県の懸念でもあった。県が海に一番近い砂丘一帯にマツ2万7千本を植える事業をはじめたのは２００９（平成21）年。15年後には、6メートルほどに育ったマツによって津波の内陸への浸入が従来より１５０メートル手前までで食い止められるという専門家の試算も出ていて、幼いマツはもう砂丘の上に並びはじめていた。

大きな揺れの後、北釜の人たちの多くは櫻井重夫さんのように避難した。しかし、一方には「リアス式の岩手とは違う。北釜ってところは昔っから津波は来ねえんだ」という人がいた。「（牡鹿《おしか》半島の先の）金華山があるから、南の仙台湾には津波が来ない」という説も流布していた。消防団長の経験者でさえ、「来ねえから」と言って逃げようとしなかったという。1年前のチリ地震の経験が、そんな思い込みを強めてしまった面もあった。

東の海岸線に砂塵がまきあがるのを見て、森さんは集会所か

震災の前年にも名取市の海岸ではクロマツの植えつけが行われていた（2010年11月、河野裕氏撮影）

ら空港に走った。途中、北釜橋で空港から戻ってきた住民に出会った。避難したのに何も起こらず、「去年とおんなじだ」と思った人である。彼はUターンして、森さんと一緒に一目散に走った。

集会所近くまで来ていた高梨さんは、エアコンの室外機などを伝って平屋建ての集会所の屋根に上った。「後から考えたって普通なら上がれない。馬鹿力が出たんだね。空港まで走っていたらだめだったかもしれない」。屋根にはすでに町内会長ら男性が3人いた。少し西、貞山運河のほとりにあった3階建ての東北大ボート部の艇庫（写真⑤）の上にも人がいるのが見えた。

高梨さんの次に男性（82）が上ろうとした。「手ぇ出せ！」と高梨さん。指と指が触るか触らないか、ギリギリで届かず、高梨さんの耳には「助けてけろー」という叫び声が残った。集会所に集まっていたのは地域の役員たち。高齢者も多く、逃げ遅れた人が出た。屋根のてっぺんの下50センチメートルくらいまで水が迫り、すぐわきを車が折り重なって流れていく。「こんで世の中終わりだな」と思った。

鈴木さんは800メートル先の海岸の松林が真っ黒な水に飲み込まれるのを見て、はじめて津波の危険、避難の必要性に思い至った。社員と二人、車で空港に走った。ターミナルビルへ向かう道はいったん西へ走ったあと、弧を描いてUターンし、最後は東（海）向きになる。東の海から空と海が一緒くたになったように迫る津波と正面から向き合う。建物の外階段にとりつき、2階まで上る前に下には水が押し寄せていた。ギリギリ。一人だったら逃げきれたかどうか。空港から戻ってきていた社員が「神様のおつかい」のように思えた。

ターミナルビル2階では「ワーッ」と声が上がって大騒ぎになった。すでに避難している人々の目前、大きなガラス張りの向こうに、集落を飲み込み、まるでおもちゃのように車を水面に浮かせて迫ってくる津波が見えたからである。やがて空港に達した津波は、ビルの1階を洗い、滑走路のセスナ機やヘリも軽々と流し去っていった。

手塚さんは防災ヘリと管制とのやりとりを傍受して津波の襲来を知った。操縦士が「飛ばなきゃだめだ」と言った。避難のためであり、もちろん取材のためでもあった。離陸すると海岸線に黄土色の土ぼこりが舞うのが見えた。その後、盛り上がった黒い海が集落を覆いつくすまではあっという間だった。

北釜と空港の上空にいたのは午後3時55分から5分ほど。円を描くように3回飛び、高度1000メートルと300メートルの間を上下しながら、失われる北釜の姿を記録した。近くにNHKのヘリが見えた。「高校2年のときにあった阪神大震災と同じか、それ以上の被害になる。NHKは動画を撮っているだろうから、静止画できちんと記録しよう」と思った。「町や地域が壊滅する、と言っても『壊滅』が意味するものはなかなか通じないですよね。でも、これこそが壊滅だとわかった」と手塚さんは言う。

15分ほどあちこちを飛ぶと、燃料がなくなりかけている。「もう少し(空に)いたい」「三陸は大丈夫か」、いろんな気持ちを断ち切って、仙台の南、角田市の工場空き地に着陸したのは燃料切れ寸前の4時20分だった。空にいる間は実感がなかったが、地上に降りて余震の多さに驚いた。

新聞記者もカメラマンも、記事や写真が紙面に載らなければ結果的に仕事をしたことにならない。工場入り口の公衆電話を使ってタクシーを呼んだ。安否を気遣っていた東京本社に無事を伝え、付け加えた。「津波の写真を撮ったけど送る手段がない」。その後、仙台に出てやっと通じたガラケーのメールに添付し、10枚ほどの写真を東京に送った。写真は大スクープとして全世界に流れた。

「空中から目撃した光景はスケールが大きすぎて、人の動きなど細かいところには目がいかなかった」と手塚さん。被災地を訪ねて高梨さんや森さんを知り、写真を拡大して集会所の屋根にいる人の姿を見つけるのは2カ月後のことである。手塚さんは、鈴木さんが経営する三英駐車場の様子も写していた。がれきと折り重なる車の海に浮かぶ小島のような事務所が見える。

手塚さんが持ってきた写真を何枚か見て、森さんは画面に赤いポッチを必死に探した。津波が来たとき、消防団の赤い広報車がどこにいたのかを知りたかったからである。

●家が流された軌跡を記録する

空港には、北釜の人だけでなく岩沼市などから避難してきた人、旅行者らを含め、1600

人が集まっていた。空港で知り合いと再会できれば「あんたも無事だったか」とほっとする。姿が見えなければ、消息はわからない。森さんは集会所の前で別れた消防団員の仲間が気になったが、確かめるすべはなかった。

空港では、職員を中心に利用客、地区の役員らが話し合い、避難してきた人をグループ分けして対応した。持病を持っている人、絶対飲まなくてはならない薬のある人をリストアップして面倒をみる。高齢者には毛布を配る。足りない分は大きなビニール袋で補う。底に穴をあけて頭からかぶり、寒さをしのぐためである。食べ物、飲み物は乏しいうえに、孤立した状態がいつまで続くかわからない。土産物の笹かまぼこや「萩の月」、ジュースや水などを少しずつ袋に詰め、「いっぺんに食べないで」と声をかけて配った。食料の奪い合いなどの混乱はなかった。

集会所の屋根の上の50代、60代の男性4人は、空港に避難した人たちから見れば「行方不明」である。津波は三角になった屋根のてっぺんまで達することなく水位は下がりだしたが、雪のちらつく中、互いにおしくらまんじゅうをするように体をぶつけ合い、流れてきたベッドを風よけに使って、一夜を過ごした。とにかく寒かった。「集会所の中の方が風がない」「そりゃ絶対ダメだ」「寝るな」と言いあい、屋根から動かなかった。

北釜集会所。中央の一番高い屋根の上で４人は一夜を明かした（2011年３月25日、名取市提供）

高梨さんは夕方の午後5時17分、「大丈夫か。だれかと連絡とれないか寒くて大変だ助けてくれ」というメールを妻に打った。しかし、お互いの安否は確認できないまま、屋根から下を覗いていて携帯電話を水の中に落とした。

震災で犠牲になった町内会員51人の名が、慰霊碑に刻まれている。櫻井歩さんは避難を呼びかけ続けたマイクを握ったままの姿で、広報車の中で見つかった。一緒に亡くなった森達也さん(42)は、親戚筋の森清さんの仲人で結婚した消防団員である。長男が小学校6年生、妻は身重だった。空港のターミナルビルで、息子とともに避難していた妻に「うちのお父さんは?」と尋ねられ、清さんは返事ができなかったと言う。

消防団員は13人中4人が殉職した。車に乗っていた3人ともう一人、「法被《はっぴ》をとってきます」と言って自宅に向かったまま命を奪われた団員がいた。ほかに、本人は勤務先で無事だったが妻と二人の娘を亡くした団員もいた。高梨さんは姉夫婦をうしなった。姉、多美子さんは北釜でただ一人、いまだに行方不明のままだ。

写真家・志賀理江子さんの寄付で2015年に建てられた慰霊碑(2018年8月撮影)

森清さんは震災後に自衛隊の捜索活動にも加わり、集落の家屋がどんなふうに流されたかを記録した(口絵、44ページ参照)。その地図と、手塚さんが撮った写真を見ると、集落を飲み込む津波の規模と、家屋を数百メートルも流してしまう破壊的なエネルギーとにあらためて目を奪われる。しかし、ほかにもわかることがある。大まかにいって、集落の北側の家は南の方へ、南側の家は北の方に流されたこと。そして、集会所などがあった集落の中心部への津波の到達が遅れていることである。

海辺の松林は、集落の東側が5メートルほどの小高い丘（写真⑧）になっていた。「あの土手がなかったら集会所も一気に持ってかれたかもって思うよ」と高梨さん。集会所は津波を想定してつくられた頑丈な建物ではなかった。津波の直撃を受けたら持ちこたえられたかどうか。森清さんは「丘のおかげで津波が遅れて助かったと思ってる。昔の人が何考えたかわかんないけど、丘は北釜守るためにつくったんじゃないのかな」と言った。鈴木英二さんも「マツが私に逃げる時間をくれた」と振り返っている。

高梨仁さん、櫻井重夫さん、森清さんの3人は今、北釜から約5キロ離れた名取市内の別の場所でチンゲンサイやコマツナをつくる農業会社を共同で経営している。鈴木英二さんは駐車場を再建し、農業法人もつくった。そしてみな、「名取市海岸林再生の会」のメンバーである。「再生の会」は津波で流された松林をよみがえらせるために苗木をつくる地元の人々の集まり。鈴木さんが会長、櫻井さんは副会長を務めている。

しかし、そうした動きが出るのはまだ先。北釜の人たちに突きつけられたのは「壊滅」、そして、「どこさも行かねぇー」という願いはもうかなわないという現実だった。

第4章　プロジェクトの芽

3月17日までに19名、18日9名、19日6名……。震災の後、森清さんは名取市と南隣の岩沼市に設けられた遺体安置所に通った。北釜に住んでいた人はみんな顔見知りである。身元がわかれば、棺《ひつぎ》の番号を家族に伝える。確認される遺体はだんだん減っていき、半月ほどたつと何日かに一人になった。それでも、5月25日に51人目の犠牲者を見つけるまで、毎日この作業を続けた。消防団の責任者として、そして仲間を失った無念、つらさから出た行動だったのだろう。亡くした消防団員の父親に謝りに行ったとき、「事故なんだから自分を責めることはない」と言ってもらったことを、森さんははっきり覚えている。

いつだれがどこで確認されたのか。森さんが記したメモが残っている。津波は市境など関係なく人を流してしまうのに、名取市民の森さんは最初、岩沼の安置所には入れなかった。「行方不明者届出表」を毎日提出し、岩沼でも20近い北釜の人々の亡骸《なきがら》を確認した。消防団員3人が乗って避難を呼びかけていた広報車は、震災の翌日に見つかった。車内で二人の遺体を確認したが、もう一人が見つかったのは地震1週間後の3月18日、岩沼の安置所だった。名取ではきちんと死に化粧が施されていたが、岩沼ではそこまで手が回っていないように見えたことが記憶にあると言う。

宮城県で東日本大震災の犠牲になった約９５００人について、警察から情報の提供を受けた東北大学が死因を分析した２０１８（平成30）年の研究結果がある。溺死が91％と圧倒的に多く、焼死、窒息、頭部の損傷と続くなか、低体温症でも23人が亡くなっていた。「低体温症」という言葉で思い出す森さんの話がある。

津波に襲われ仙台空港に避難した森さんは、その日の夕方から少しずつ水が引いてくると、周辺のがれきの中で被災者の救出活動を始めた。「『助けてくれ』って声聞いて行くんだけど、すぐ亡くなっていく。流れてきた家の断熱材なんかを巻きつけて『がんばれ』と言っても、車や物に挟まって動けないし、助ける道具もない。どうにもならないんです。医者だっていない。水をかぶった人には低体温症が一番致命的だったかもしれない」

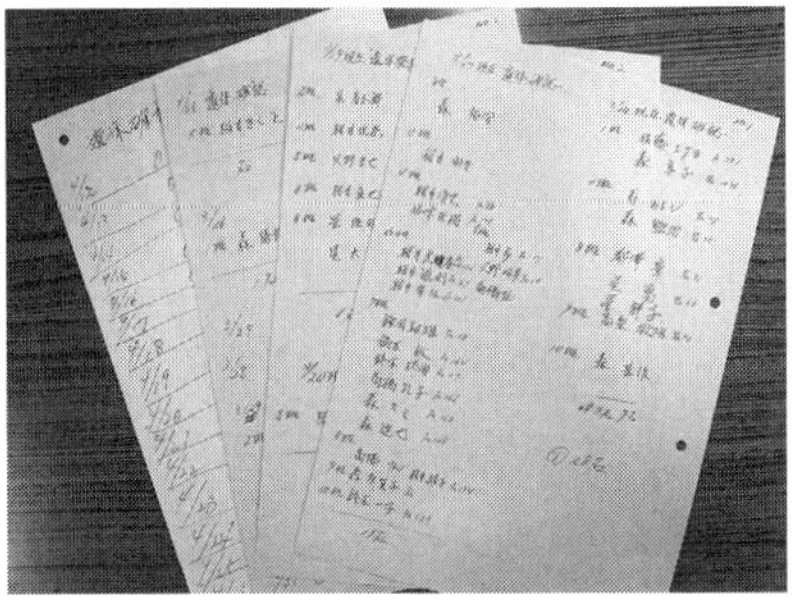
森清さんは遺体を確認した北釜の犠牲者の名を記録した

森さんは翌日朝、仙台空港であてがわれた簡単な食料をリュックサックに詰め、がれきの中を声を出しながら歩いた。集会所の屋根で一夜を明かした高梨仁さんたちや東北大ボート部艇庫の屋上にいた人々も見つかり、空港に避難した。北釜の人たちは3月13日(日)、内陸側の名取市立第二中学校の体育館に移った。そこでの避難生活が3カ月ほど続くのだが、地域をよく知る森さんは避難所から遺体安置所に通い、その一方で、自衛隊と一緒に捜索活動にもあたった。そうしたなかで、北釜の家屋がどんなふうに津波に流されたのかも記録したのである。

現場では自衛隊や警察、消防に地元も協力して捜索活動が続いた(2011年3月22日／名取市消防本部提供)

●思いつく理由のない思いつき

北釜の人々が避難所に移動した同じ3月13日の日曜日、名取からは300キロメートルほども離れた東京・昭島市で少年野球チームが練習をしていた。地震と津波、そして原発事故。その被害に驚き、放射性物質の拡散や電力不足など今後のなりゆきに不安を覚えながらも、東京では日常の生活も続いていたのである。

オイスカの現海岸林担当部長、吉田俊通さん(41)は、「当時の生活は少年野球を中心にすべてが回っていた」というほど、自身の子どももメンバーになっている地元強豪チームの手伝いに夢中だった。彼が休憩中、タバコを吸いながらふと思いついたことがあった。その日のうち、思いつきを伝えるため林野庁東北森林管理局(秋田)に勤める知人の携帯に電話した。知人は日

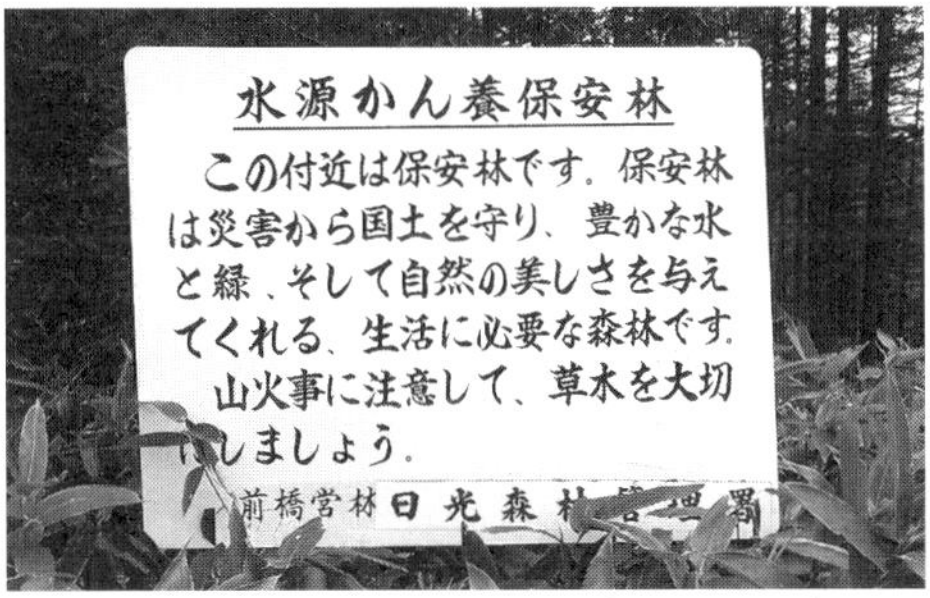

栃木県日光市に設置された看板（2018 年 9 月）

本海側から太平洋側へ、燃料などの支援物資を届けるトラックの中にいた。「海沿いのマツは保安林だから必ずやりますよね。そのときにオイスカが手伝うというのはどうでしょう」。知人の反応は悪くなかった。

「保安林」とは何か。栃木県・日光で見つけた保安林を示す看板に「災害から国土を守り、豊かな水と緑、そして自然の美しさを与えてくれる、生活に必要な森林」と書いてあった。簡潔でわかりやすい説明である。簡単に言えば、道路や鉄道、橋、堤防などと同じ国土に不可欠なインフラ。農林水産大臣や都道府県知事が指定し、指定されれば伐採などが制限されることになる。

〈各地のさまざまな保安林〉

青森県白神山地の「保健保安林」（2019 年 9 月）

岩手県田野畑村の「魚つき保安林」（2018 年 1 月）

仙台市の「潮害防備保安林」（2020 年 6 月）

静岡市の「飛砂防備保安林」（2018 年 10 月）

林野庁によると、日本の森林面積は国土の3分の2、森林の半分が保安林に指定されている。だから、保安林は国土の3分の1を占める「超巨大インフラ」だ。

保安林の役割は17に分かれている。渇水や洪水をコントロールする役目を担う「水源かん養保安林」が7割で圧倒的。海岸林のような「飛砂防備」「潮害防備」の保安林はそれぞれ0・1%と全体から見ればごくわずかだが、森林は一つの機能だけを持っているわけではない。海岸林も「保健(レクリエーション)」や、場合によっては魚の生息・繁殖を助ける「魚つき」の役割も果たすことが期待され、保安林に指定されてきたのである。

保安林だったら、失われれば再生しなければならない。その事業にオイスカが協力できないか、というのが吉田さんの思いつきだった。ただ、海岸林が風よけ、砂よけの役に立っているくらいの知識はあったが、なぜマツなのかすら知らなかった。海岸林の現場で働いたこともない。「なぜ思いついたのか、いまだにわからない。思いつく理由がなかったから」。この思いつきがすべてのはじまり、理屈抜きのスタートだった。

吉田さんは神奈川県相模原市出身。高校卒業後の浪人中は予備校に通っても早々と辞め、実家も出て、朝昼晩3種類のアルバイトをしながら自活した。夜のアルバイト先の寿司職人の夫婦に諭されてあらためて大学を目指し、二浪して東京経済大学へ。大学でもアルバイトで毎月20万円以上稼ぎつつ、軟式テニスに打ち込んだ。

それだけでなく、29の運動部、総勢900人を束ねる体育会の自治組織のトップに就いて、当時はあたりまえだった部員の学ラン（詰襟の学生服）での登校義務を、ＯＢの反対を押し切って廃止する「改革」を成し遂げた。

国際協力に興味を持ったのは中学時代に見たＮＨＫドラマ「炎熱商人」（原作・深田祐介）がきっかけ。オイスカではプロジェクトの現場にどっぷりつかるというより、プロジェクトと企業の橋渡しをして資金を集める仕事を得意としていたという。いわば「営業」。

しかし、上司との意見の違いや現場への関心から、いったんオイスカを辞めて林業会社に転職、２年後に戻ってきたのが震災１年半前の２００９（平成21）年秋だった。

いろいろな経験をした。１９９５（平成７）年１月17日の阪神・淡路大震災は、オイスカに入って１年目。発生から１週間後、もやもやしながら神奈川県の自宅にいると、自動車メーカーの技術者だった父親に、「正座しろ。お前はなぜここにいる。地震が起きても何もしないのか」と怒鳴られた。すぐに現地へ行き、避難所で炊き出しや風呂焚きなどの活動を始めた。やるんだったら怒られる前に早く動かなければならない――そう学んだ。

オイスカを退職して林業会社に移っていたときには、社員として会社に貢献するためには「早く、正確に、安全に」やることが必要だと鍛えられた。二つの体験を通じて、とりわけ「早く」ということが頭に植えつけられていた。

林業会社にいたころ、別の林業会社の社長と飲んだことがある。「オイスカにいたんだって」「はい」「あのままごとみたいなことやってるところか」。そんな会話があった。「退職してまで言われて、悔しかったですね。やるんだったら、そこそこでいいなんて思わない。あの社長の度肝を抜いてやる、というのが、オイスカに戻ったときの決意の一つでした」と吉田さんは話している。

翌3月14日には、簡単な企画案を林野庁東北森林管理局とオイスカの内部に出した。東北局からはその日のうちに「異存なし」の返事があった。オイスカの活動を通じた顔見知りが局内にいたことで、とりあえず話はスムーズに進み始めたのである。

問題はオイスカ内だった。早々と林野庁と連絡を取ったことが、すでに組織のルール無視と言われてもしょうがない。「オイスカはよくも悪くもハードルは低いし、言い出したら聞かない私の性格も知られていた。企業からの寄付など結構稼いできたので、金集めには信用があったのかもしれない」と吉田さんは振り返るが、それでも国内だけでも100人を超える職員を持つ大所帯のNGOだ。話を進めるには手順というものがある。オイスカはどんな震災の支援活動ができるのか、組織としてそれを考える前に吉田さんの思いつきが出てきたのである。

「吉田君の行動力は大したものだし、話を聞いて熱意も十分通じたが、きちんとした体制が取れるのかが問題だった。彼には鉄砲玉みたいなところがある。『自分が全部やる』と啖呵《たんか》を切ったが、組織として人をつけなければならないし、予算も必要だ。私自身、半信半疑だった」と振り返るのは専務理事、永石安明さん(52)。同世代の職員として吉田さんと机を並べていた池田浩二さん(現四国支部事務局次長、43)によると、職員の間には「えー、何やる気だろう。別に悪いことじゃないけれど、この人大丈夫なのかな」という空気があった。池田さんも吉田さんが頑固なことは知っていたが、「始めれば長くなる。現地にも人材が必要だし、大変なことになりそうだと思った」と言う。

吉田提案を検討していくなかで、幹部からは慎重論が出た。一つは、オイスカという組織の性格にかかわるもの。そもそも創設当初から農業支援や人材育成を通じてアジアを中心に国際協力を進めてきた団体であって、日本の災害復興を支援する団体ではない、という意見である。もう一つは、組織の「体力」についてで、職員の数も資金もギリギリの状態で活動をしているのに、新たな事業を始められるのだろうか。始めても結局は線香花火みたいに終わってしまうのではないか。企業の寄付が新しい事業に流れれば、これまでの活動分野が窮することにもなる……。さまざまな懸念を訴える人がいた。どれも当然の反応だろう。

吉田さんも厳しい空気を感じていた。「出戻りが強引にとんでもないことをやりたがっている、という風当たりがあった。後輩だって面白くないですよね。応援してくれると言う人も、フェイスブックの『いいね！』を押すのと同じくらいの他人事《ひとごと》だったし。言ってみれば四面楚歌です」。それでも、「自分で全部やります」「一人でもやります」と頑張り続けた。

オイスカが中野利弘理事長（当時、84）名で皆川芳嗣《よしつぐ》林野庁長官（同、56）宛てに文書を出したのは震災6日後の3月17日である。この年が国際森林年でオイスカの創立50周年でもあることに触れつつ、「被災した海岸林の来るべき再造林の際には、オイスカも国内外のネットワークを活用し、寄付金集めなども含め、オイスカらしく中長期的視野で協力したい」と申し入れているが、場所にあてがあったわけではなく、具体案が書かれているわけでもない。

とにかく、「早く」の意識があったからこその申し入れだった。吉田さんは「ほかの団体も名乗りを上げることはわかっていたので、文書を出す時には一番かどうか確かめたくらいでした。それほど一番槍にはこだわっていた」と言う。一番槍の大切さは、おいおい明らかになってくることになる。

14日から17日までの4日間にオイスカの中でここまで話が進んだのは、組織として提案を検討・分析した結果、というわけではない。「あいつがそこまで言うなら」と周りを納得させる情熱か、あるいは「あいつは言い出したら聞かない」という頑固さか、とにかくそんな力が吉田さんにはあったということだ。こうして、海岸林再生のプロジェクトはオイスカという「ハードルの低い」組織の中でタネがまかれた。

新聞記者時代、ある中央官庁の幹部から「新しい提案の9割は『予算がない』『前例がない』という二つの理由で蹴られてしまう」と聞いたことがある。幹部も「おかしな話」として話していたのだが、ハードルが高い低いとはたとえばこういうことで、「低い」のは組織が元気を保つためには大切なことなのである。

最終的に「ゴーサイン」を出した中野元理事長(現顧問)は、「吉田の人生観から出た素晴らしい話ですよ。その意気に感じた」と話している。思いつきは、おそらく、経験が培った悔しさ

皆川林野庁長官に申し入れをする（右から）オイスカの渡邉副理事長と中野理事長（いずれも当時、2011 年 4 月 4 日）

や反発、自信、プライド、そして馬力といったさまざまな要素がないまぜになって生まれたのだが、「なぜ」と突きつめていっても「これだ」とわかるような答えは出ないし、あえて理屈を探す必要はないのかもしれない。

4月4日には、中野理事長以下、オイスカの関係者が皆川長官を訪ねた。「オイスカはお金をパッとかけて麗々しく援助をするのでなく、伝統的な技術を使って地道に息長く活動する組織だと承知していた。震災後で社会全体がまだ放心状態にあったなか、海岸林によく着眼したと驚きました。地域や伝統を大切にする活動を続けてきた組織ならではの気づきですよね。この時点では、まさか100ヘクタールの規模になるとは思いませんでしたけれど」。手帳で当時の日付を確かめながらの、皆川元長官（現農林中金総合研究所理事長）7年後の述懐である。

●飲み会が名取とオイスカを結ぶ

震災まで、北釜地区の農家の人たちは「八桁農業」を目標に掲げていた。年間売り上げを1千万円に乗せるという意味である。それを家族だけで達成し、誇りにする人も多かった。それ

名取市の避難所では市民がほぼ3ヵ月にわたって生活、徐々に段ボールの仕切りもつくられた（3月12日と4月14日、名取市提供）

ぞれはコマツナやチンゲンサイを育てるために20棟ほどのビニールハウスを持っていた。震災で、ハウスも農機具もすべてを失った。

6月4日まで設けられていた名取二中の避難所にはピーク時、720人ほどがいた。不便ではあっても、仙台市内に職場のある人は徐々に避難所から通勤し始めた。

しかし、農家の人たちはやることがない。流された農地に戻っては、仕事を再開できる日に備えて使えそうな農機具や資材を持ってくる。しかし、目に見える展望があるわけではない。家庭菜園でもいいからやりたい。そう思っても、その土地すらなかった。

炊き出しをしてもらい、お盆を持って並べば食事ができる。いろいろなショーも来る。確かにありがたい。ありがたいが、働き盛りが働けない。「昼寝して、ご飯食って、昼寝して、ご飯食ってだよ。あとは時々、般若心経唱えながらの散歩。こんなつらいことはなかった」と、集会所の屋根に逃げて助かった高梨仁さんは振り返る。

これでは人間ダメになる、と八桁農家の人たちで話し合ったことがある。「何もかも失ったからもう個人ではできない。共同でやろう。そうすれば国だって何だって背中押してくれる。一緒にやんねえすか」。そう言う高梨さんや森さんに「うん」と応じる人はいなかった。「何、そんな夢語ってんの。畑、塩漬けになっちゃったし、何もねえのに」という反応に、森さんは「みんないらだっているし、いらだちをだれにぶつけることもできない。しかたねえな」と思った。

本格再開とは言えないが、高梨さんや森さんたちは4月半ば、避難所近く、津波被害のない耕作放棄地を借りてコマツナづくりを始めた。もちろん、海岸林再生のことなどまだ頭の片隅にもない。

「日本の伝統文化を味わう」といった気の利いた名前をつけて、じつは和食や日本酒を楽しむという類の集まりが方々にある。そうしたグループの一つが、名取市とオイスカをつないだ。

4月13日、北釜出身で千葉県に住むAさん（後にプロジェクトと縁を切るので仮名にしておく）が、東京・杉並区のオイスカ本部を訪ねてきた。渋谷で毎月開かれていた「味わう会」の仲間だったオイスカの渡邉忠副理事長（当時）に会うためである。

Aさんは震災で父と兄を亡くした。帰省して見た故郷の惨状と、飲みながら渡邉さんから雑談で聞いていたオイスカの活動とを結びつけ、これからは自分たちで植林もするし手入れもするから、と海岸林と地域の再生への支援を頼みにきたのだ。同席した吉田さんが「オイスカは海岸林を通じて震災復興を手伝おうと思っている」と話すと、Aさんが「私は松林の横に住んでいた」と応じた。重要施設の近くか、復興が遅れそうなへき地でやりたい、と考えていた吉田さんは、仙台空港に隣接する名取の海岸が「あまりにドンピシャなので身震いした」と言う。地元には恩師や同級生がいるのでパイプ役になるというAさん。名取は「海岸林再生プロジェクト」の有力候補地になった。

池田さんと吉田さんは、被災地に支援物資を運ぶため日本エリクソン社がチャーターしたヘリコプターに乗って、太平洋岸を宮城県北部まで空から見ることができた。4月21日である。自前でチャーターすれば250万円ほどするらしいが、たまたまスペースに空きがあるという情報を、オイスカ内で震災の緊急支援を担当していた池田さんが吉田さんに伝えたのである。

パイロットが協力的で、ヘリは高度を150メートルほどまで下げて海岸線をなめるように飛んだ。二人とも、映像でしか知らなかった津波の被害を初めて目の当たりにした。

渡邉忠さん

私が初めてプロジェクトを知ったのがその翌日、渡邉さんと吉田さんが航空写真を携えてやってきたときだ。この時点でもオイスカ内には、積極的に吉田さんを支えようという動きは多くなかったというが、「一人でもやる」と見えを切った当人の頭の中では、プロジェクトが次第に形になり始めていた。

第5章　5月24日　動き始めたプロジェクト

2011（平成23）年3月11日の震災のあと、ほぼ3カ月に及んだ避難所での生活も、終わりが近づいていた。しかし、たとえば支援物資の衣料が届くと、こんどはそれをしまうためのバッグ一つがない。まだそうした問題が日々被災者を悩ませている状況だったと、宮城県名取市議だった小野泰弘さん（50）は、震災から7年たって振り返っている。避難所をあとにする人が増え、残った人々の焦燥《しょうそう》は募った。

海岸のクロマツ林の再生を目指すオイスカのチームがやってきたのはそんな時期だった。5月24日午後2時。名取市立第二中学校体育館。津波に流された海岸林の近くにあった北釜集落出身で千葉県に住んでいたAさんが間に入り、中学時代の恩師や同級生に声をかけて話し合いの場をつくった。オイスカ側からは8人が出席した。海岸林再生を名取でやると決まったのではない。オイスカの基本的な考えを知ってもらうという趣旨である。

迎える被災者の側にオイスカに関する知識はゼロだった。テーブルに着いたのは各地区の役員ら12人ほど。小野市議はまだ当選前で、県議への転身を目指していた当時の地元選出市議の

避難所になった中学校の体育館でプロジェクトの説明をするオイスカのチーム（宮城県名取市、2011年5月24日）

後継者として会合に加わったが、やはりオイスカについて何も知らなかった。

オイスカの計画は「地元の人々と一緒に震災で失われた松林を再生したいので協力してほしい。費用はすべて寄付で集め、苗木づくりは被災農家に仕事としてやっていただく」というものだ。吉田俊通・現海岸林担当部長は、海岸林再生が各地で動き出せばクロマツの苗木が圧倒的に足りなくなることをすでに調べていた。苗木不足の解消と被災者の生活支援、いわば一石二鳥のアイデアだった。

しかし、多くの被災者にとって、今日明日をどう生きるかということからは遠い話でもあった。突然聞いたこともない団体がやってきて「やりましょう」と言う。組織の背景も実績も事業の規模も、国や県、市との関係もわからない。寄付はちゃんと集まるのか。仕事といっても生活できるだけの金がもらえるのか。わからないことづくめである。

被災地にさまざまなバラ色の話が持ち込まれた時期でもあった。ハリケーンの被害に遭った米国ミシシッピ州の例にならって、仙台空港を核に「復興カジノ」をつくろうという構想が喧《けん》伝《でん》され始めたのもこのころだ。「大型施設で働けばいいお金になる」。そう考える人も少なくなかったという。

●完全アウェーの雰囲気のなかで

北釜地区にアトリエを構えて震災前に2年あまり住んだ写真家の志賀理江子さんが書いている。

「ある日突然スーツを着た人たちが高級車でやってきて、夢物語のような復興計画をたくさん話したことがありました。『これさえ実行できればすべてがよくなる。前よりももっと豊かになる。雇用も生まれて苦しい思いをしなくてすむ。あなたを助けたい』と言って豪華なお弁当を配った。お弁当の蓋を開けたときのみんなの『おおー』というどよめきは私の脳裏に焼きつきました。（中略）私はとにかく、この大きな資本の復興計画に翻弄されることで、将来の生活をまず自分たちで考える力を奪われてしまうかもしれないことがとても怖かった。というのも、北釜の人たちの生活の知恵や工夫は、暮らしの隅々にまで浸透していて、私自身たくさん教わったからです」（『螺旋海岸《らせんかいがん》 notebook』）

こうした話に、被災者は一方で惹きつけられ、一方では警戒感を募らせていた。オイスカには高級車も豪華なお弁当もなく、バラ色の将来を約束するような華やかさもない。ただ、避難所には海岸から離れた地区に住んでいた人もいる。お金がからめば「儲け話」と思われ、周りの目、周りの耳が気になって大声も出せない。それやこれやで、段ボールで仕切られた居住スペースの傍らのテーブルにパイプ椅子を並べて始まった話し合いは、オイスカにとって厳しい雰囲気に終始した。

当時は宮城中央森林組合の職員で、いま林業会社「松島森林総合」を営む佐々木勝義さん(53)は、学校での森づくり活動などを通じて震災前から吉田さんと付き合いがあった。かつて名取で植林したことがあり、海岸林の働きや成り立ちにも詳しい。県内の林業関係者に顔が広く、いまもプロとして植栽地を管理するプロジェクトには欠かせぬ人物である。吉田さんに請われ、専門家として「断る理由はない」と思って避難所に出かけた。ちなみに、森林組合とは森林の所有者が会員になってつくる協同組合で、各地で森づくりや木材生産などを担っている。

同じ宮城県でも、名取より北の松島町に住んでいる佐々木さんは、狭い意味では地元に知り合いはいない。「海岸の図面を広げ、無我夢中で、宮城県の林業のプロとしてオイスカの計画に協力すると伝えました。よく聞いてはくれたんですが、最初は『何だ、こいつらどこのやつらだ』というすごい顔でにらまれた。殺気すら感じました。雰囲気がだんだん和らいできても、一人二人、最後まで厳しい顔のままの人はいましたね。もちろん心情は理解できましたけれど。大変な境遇の中にいる方々が、お前らちゃんとできるのかと思ってあたりまえですから」

オイスカの国内外の事業で技術的なアドバイスをしている山梨県森林総合研究所出身の農学博士、清藤城宏《せいどうくにひろ》さん(65)もチームの一員として話し合いに参加した。プロジェクトが軌道に乗ってからは、場所ごとのマツの成長の違いをチェックしてその理由を探ったり、海岸林がどの程度のCO_2（二酸化炭素）を吸収して温暖化防止に貢献しているかを計算したり、という学術的な分野を担っている。

清藤さんも話し合いの雰囲気にめげた。「行ったのは避難所そのものです。そうした経験はもちろんはじめてです。皆さんから『あいつら何しに来たんだ』っていう目で見られましたよ。それをすごく感じちゃってね」

清藤城宏オイスカ
緑化技術参事

菅文彦さん

大阪成蹊大学准教授の菅《かん》文彦さん（41）はオイスカに勤めたあと、震災当時は街づくりや地域活性化を目指すＮＰＯ向けのコンサルティングの仕事をしていた。吉田さんからプロジェクトについて相談を受け、「行ける」「やるべきだ」と直感的に思った。その後は、ホームページづくりや寄付集めのノウハウ、シンポジウムの企画・調整などの面で支援していくことになる人だ。避難所の話し合いに加わっていた菅さんはこう振り返っている。

「メディア、救援物資を持ってくる人、政治家、山っ気たっぷりの人。避難所にはいろんな人が毎日来る。『また変な連中が……』と思われて当然です。私たちはアウェーで信用される要素はない。でも、そういったところに無神経で乗り込んでいけるのがオイスカのいいところでもある。不快な思いをさせたとしても、こちらも間違ったことしているわけではないですし。ただ、前向きの話はなかったし、地元の人たちに主体的にかかわってもらうにはどうすればいいかを考えると、時間がかかると思った」

菅さんの耳には、被災地に入ったNGOやNPOが地元の信用を得るのに苦戦していることも耳に入っていたし、話し合いの冒頭から回っていたビデオカメラが、オイスカの面々の気にもなった。「いろんな人が来る。証拠を残さないといけないから」。そんな説明があったが、疑われているようでショックを受けた。

総じて意気上がらぬチームの中で、鈍感なのだろうか、吉田さん一人だけは違った受け止め方をしていた。「被災者をボランティアとして使うのか」――「違います、お金を払います」。「いくらか」――「それはまだ言えません」。「全体の予算は?」――「それもこれからです。数千万円でも1億、2億でもなく、もっとかかると思う」。小野さんらとのやり取りを通じて、不思議にも前向きの感触を得ていく。そして、こんな時に何でクロマツか、という空気があるなかで、「海岸林をつくるには時間がかかる。少しでも早く始めるには来年春に種まきしたい。そのためには皆さんの力が……」と、訴えたのである。

この日を機に名取でプロジェクトが動き出すことになるのだから、結果的に訪問は「成功」したことになる。「そりゃ国がするんじゃないのか」「だまされて二重に被災するのはたまらん」。後ろ向きの意見が大勢だったが、野菜づくりのノウハウを生かしてクロマツの苗づくりができるという話に惹かれた農家の人が何人かいた。いま、「あの時は、人からあてにされることに飢えていた。頼まれれば喜んでやるという気持ちだった」と被災農家の高梨仁さんは話している。

1時間ほどで体育館を去るとき、吉田さん一人「もう名取で決まったな。ほかを探す必要はない」と確信、好天の青空を仰いで自然と笑みがこぼれたのだという。「100人が100人ダメだったら諦めて別の場所を探せばいい」と思っていたが、そうではなかったからである。

これも空気を読まないオイスカ流というべきか。避難所では話し合いの最後に、「よかったら。こちらで持つから」と、被災者を夜の宴席に誘った。場所はAさんの中学の同級生が営む名取市内の居酒屋。被災者8人が手を挙げたというが、夕方、実際に現れたのは3人だった。オイスカ側の8人と合わせ、16人のはずが11人になり、一人3800円の料理が5人分、大量に余った。しかし、「3人しか来なかった」のか「3人来てくれた」のか、ものは考えようである。

3人は高梨さん、Aさんや居酒屋の主人と同級生だった森清さん。それに地域のまとめ役で、中学教師の時代はAさんや森さんの恩師でもあった鈴木英二さん。当時は「名取市東部震災復興の会」の会長で、復興カジノを地元の側から支援する立場にいたが、オイスカへの協力を地元のまとめ役として決断した中心人物でもある。

鈴木さんは居酒屋に『ふるさと北釜物語《あれこれ》』など、古い住民が書いた郷土史の冊子を2種類持ってきた。「松林を再生してかつての故郷を取り戻したい」という願いが伝わってきて、吉田さんの「ここで行ける」との気持ちも強まった。こうして、この日5月24日はプロジェクトの画期となる最も重要な日の一つになったのである。

●初の現地調査と「微地形」の発見

小野市議は会合のあと、住民たちの要望も踏まえてインターネットなどでオイスカについて調べあげた。神道系の宗教「三五教《あなない》」が母体であることを知り、「NGOとして国際協力分野を中心に宗教色のない仕事をきちんとしている」こともわかった。自ら上京してオイスカの本部に泊まり込み、その雰囲気を肌で感じるのは7月半ばのことである。

5月下旬のオイスカチームの出張の主な目的の一つに、現地調査があった。陸上で海岸林の被災状況をチェックするのは、その時がはじめてだった。宮城県の沿岸部を回ると、目についたのは、円盤のような浅い根のかたまりをさらすようにひっくり返っている、「根返り」を起こしたクロマツの姿だ。クロマツの根は本来地中深く伸びてがっちり幹を支えるといわれていたのに、である。

ちょうどそのころ、内陸部を守るはずの海岸のクロマツが津波で倒れ、さらには津波に乗っ

根が地中深く伸びず津波に倒されたクロマツの大木と佐々木勝義さん。
左は横から撮影したもの（宮城県東松島市、2011 年 5 月 26 日）

て住宅や農地を襲う凶器になった、という面がクローズアップされていた。第1章で少し触れたが、言ってみれば「クロマツ無用論」「クロマツ悪者論」である。

たとえば宮脇昭・横浜国立大名誉教授は「深根性、直根性の広葉樹に比べてマツの根は浅い」と主張。希望の象徴として話題になっていた岩手県陸前高田市・高田松原の「奇跡の一本松」についても、「1本のマツだけが残ってあと（の7万本）が全滅しているというのは（中略）、マツだけでは防潮林として無理があるということの証《あかし》ではないでしょうか」と訴えた（「『森の長城』が日本を救う」）。宮脇氏は常緑広葉樹を主体にした海岸林づくりを呼びかけ、「宮脇方式」といわれるその考えは震災後の林野庁や各自治体の施策にも影響を与え始めていた。

宮脇方式についてはあとにまた書くが、一方には、宮脇氏の主張への批判も根強かった。海に面した最前線の乾燥や貧栄養、潮風などの厳しい環境に耐えられるのはマツしかないことは長年の経験が証明している、マツは本来深根性であり、

根は無事だったが幹が根もと近くから折れたクロマツ（宮城県岩沼市、2011年5月25日）

根が張っていないクロマツが地面ごと向こう側に倒れている（名取市、2011年5月25日）

宮脇方式はコストもかかりすぎる、といった意見が、行政や専門家の間にあった。流木による二次被害の半面、残った松林が津波のエネルギーを弱めたり、船や車、コンクリートブロックなどの漂流物をからめとったりして被害を減らす効果があったことも報告されていた。

直前の5月21日には、震災後の方針づくりを目指して国がつくった「海岸防災林再生に関する検討会」の第1回会合が開かれた。オイスカの現地調査はそんな時期に行われたのである。

調査の詳しい報告をまとめたのは清藤さんである。報告は地形、木々の間隔などによって被害のパターンが異なることを指摘した。具体的には、海水面と変わらない「海抜ゼロメートル」の地点では深根性のはずなのに根が下に伸びていないこと、木々の間隔が狭いところでは根が横にも広がっていないことを、マツが倒れた理由として挙げた。他方、高さ1メートルほどの砂丘などわずかな地形（微地形）の違いで、多くのマツが立って残って

砂丘のマツは残った（岩沼市、2011年5月25日）

いることもわかった。そうしたことから、密度を減らしたり盛り土の上に植えたりすることが必要だと報告では訴えた。チームの中で真っ先に微地形の差がマツの生死、つまりは防災林としての機能にかかわったことに気づいたのが、専門家の清藤さんだったのである。

「私も広葉樹を海岸に植えた歴史を調べましたが、いまも広葉樹林が残っている例は、文献でも実際にもほとんど見たことはありません。海岸の松林にはサクラなどの広葉樹ももちろん生えてきます。でも、まずは海岸の最前線にクロマツで〝防波堤〟をつくらないと広葉樹は育ちません」。清藤さんはそう考え、それはオイスカのチーム全体の考えにもなっていく。「海岸部では地下水位が高くマツの根が十分下に伸びなかったため津波に倒された。盛り土をした上でクロマツを植栽することが望ましい」というのは、翌年2月に発表された国の検討会の結論でもあった。ただ、樹種や植え方をめぐる議論はその後も長く尾を引いた。

出張中には林野庁仙台森林管理署や宮城県、県農林種苗農業協同組合（種苗組合）の関係者らとも会っている。清藤さんが国際協力機構（ＪＩＣＡ）からインドネシアに派遣されていたとき、林野庁から同国に出ていたのが嶋崎省仙台森林管理署長（当時）で、二人は顔見知りだった。そんな奇縁はあったのだが、プロジェクト自体まだ漠としているし、国や県の方針も定まっていない。とりあえずの顔合わせの域を出なかった。

海岸林再生は国や県の林政担当者にとって大切な課題の一つだったが、ほかに仕事はいくらでもあった。たとえば、震災後の寒い時期は灯油や練炭、まきなど燃料を確保して被災地に届けること、その後は避難所や仮設住宅に必要な木材を集めること、打撃を受けた木材加工業の立て直しを支援すること、そして、地震に伴う山崩れの対策などである。オイスカが早々と手を挙げてくれたのはありがたいが、どの程度任せていいものか。担当者はそんな期待と不安の中にあったようである。

プロジェクトが大規模になれば既存業者との関係を行政は気にする。「公共事業では新規参入に対して反発がある」（林野庁関係者）のが普通だからである。オイスカが被災者に頼もうとしていた苗木の生産についても、宮城県の担当者は県内の業者との関係を心配した。

「県に十数あった苗木生産者は、スギの苗の需要が落ち込んで苦しい状況だった。その人たちにまずマツの苗木づくりをがんばってほしいというのが、基本的な立場でした」と、宮城県森林整備課で種苗生産を担当していた源後睦美さんは言う。

生産者団体の種苗組合も当初は「新規参入は困る」という立場で、太田清蔵組合長（当時、81）との初顔合わせについて、「新規参入者に対しては懐疑的だった」と清藤さんは報告に記している。このときのことも、吉田さんは「一緒にやっていこうという手ごたえを感じた」と言うから、その楽観的なること、際立っている。付け加えれば、太田組合長はさほど間を置かずに地元被災者による苗木づくりを応援するようになるのだから、ここでも吉田さんの見立ては正しかったことになる。

すでに書いたように、オイスカには苗木が圧倒的に不足するという確信があった。宮城県内の被災地に植えなければならない苗は６００万本ともいわれ、一方で、震災前にマツの苗の需要はほとんどなく、業者も5、６しかなかったからである。それでも県や種苗組合の側には当初、オイスカが苗木づくりを安易に考えているのではないかという懸念があったようだ。しかし、最終的には被災者でつくる「名取市海岸林再生の会」が種苗組合に加盟し震災の翌年から苗木生産を開始、既存の業者のアドバイスもあってその苗木の出来栄えが評価され、２０１６（平成28）年以降は宮城県や国のコンクールで表彰されるようになるのである。

２泊３日の出張の日程をほぼ終えた一行は、５月26日、ある人物を訪ねた。松島町に住むその人はステテコ姿で現れ、みんなに缶コーヒーを配って回った。佐々木廣一さん（60）。宮城中央森林組合の佐々木勝義さんの兄で、このプロジェクト全体を担う扇の要の立場につく人とオイスカとのはじめての出会いである。

第6章　漁師の町として栄えた閖上

宮城県名取市が太平洋に向き合う海岸線は約5キロメートル。その一番南にあったのが北釜集落。逆に一番北側、名取川の河口近くにあったのが閖上《ゆりあげ》である。間の海辺に集落らしい集落はなく、農地と広浦という入り江が広がっていた。閖上は長く漁業の町として栄え、農家が多かった北釜に比べ人口もずっと多かった。その閖上も、震災であらかた姿を消すことになる。

「景気がよくてね。酔っ払った漁師が昼間っから歩き回っていたっちゃ」と往時を語るのは、震災後もアカガイなどをとっている漁師、小齋《こさい》力男さん(67)。昭和20年代後半、小学生のころの思い出である。「閖上漁港は仙台に近く、塩釜港と共に大都市仙台に対する魚類の二大供給港である」。そんな記述が1977(昭和52)年発行の「名取市

漁港での魚の仕分けは女性も総出だった(1967年、名取市提供)

史」に見える。

小さな何でも屋の商店しかなかった北釜に対し、閖上は古くから繁華な漁師町だった。戦前には、ガソリンで走る軽便鉄道が閖上と現在の東北本線名取駅の間約6キロを結んでいた。閖上で上野までの切符が買えたというから、東京と「線」でつながっていたことになる。

北釜で生まれ育ったお年寄りは「歯医者さんさゆくときね、貞山堀の土手を自転車で行って〝舟越し〟したの、自転車も舟に乗っけてね。閖上は町場だったのね。確か自転車はタダで乗せてくれたっちゃ」と若いころを懐かしんでいる。舟越しとは、渡し舟で川を渡ることである。お祭りや花火大会があっても出かけた。閖上に行けば、ウナギなどを釣ることもできた。戦後間もなくのころは映画館が2軒、銭湯は4軒あったという。近隣から人が集まる場所でもあったのだ。

七夕でにぎわう閖上の町
(1955年ごろ)

東北本線名取駅と閖上を結んでいた軽便鉄道(1925年、ゆりあげざっこ写友会「むかしの写真集　閖上」より。左も)

●ケンカは武器を使わず素手で

閖上で海浜植物ハマボウフウの保護活動を続ける特定非営利活動法人（ＮＰＯ法人）「名取ハマボウフウの会」理事長の今野《こんの》義正さん（68）によると、子どものころは、「ケンカで得物《えもの》（武器）を持っちゃいけない」という決めごとがあった。クラスの中で二人が覇を競って互いに引かないときなど、上級生を行司役に立てて砂浜へ赴き素手で闘う。一方が「負けた」とギブアップしたり、泣いたり、鼻血を出したりしたら決着。血で汚れたシャツは海水で洗い、何食わぬ顔で家に帰る……。

船乗りや漁師の仕事が危険に満ちていることをたとえて「板子一枚下は地獄」と言ったりする。漁師の間でもトップを決めないといざというとき命にかかわる、ということが、素手のケンカの背景にはあるらしい。「農村ならこんな白黒のつけかたはしないでしょうね」と今野さん。仙台の高校に通うころ、近くの高校とのケンカに助っ人として声がかかったが、「自転車のチェーンを武器に使うと聞いて行くのをやめた」そうである。

少し時代が下《くだ》っても、街の雰囲気は残っていた。いま、毎月の

今野義正さん

齋藤静子さん

震災前の閖上　①閖上漁港　②広浦橋　③広浦　④サイクルスポーツセンター
⑤名取川　⑥貞山運河　⑦海岸林　⑧かつての漁船修理場
⑨太平洋　(2007 年 5 月、東北地域づくり協会提供)

ようにプロジェクトのボランティア活動に参加する齋藤静子さん（44）は宮城県亘理《わたり》町に住んでいるが、閖上の出身。知り合いの漁師が魚やアカガイをバケツいっぱいポンと玄関に置いていくようなことが、子どものころよくあったと言う。「一番驚いたのは、マンボウが1匹、玄関のすぐ外の地べたに丸のまま横たわっていたときです」。人のつながりが強く、いたずらをすると「ありゃ○△のところの2番目の娘だ」などとわかってしまい、すぐ親に知れて怒られた。

　にぎやかで少しばかり荒っぽかった閖上の様子が、それぞれの話から伝わってくる。そんな閖上の人々と海岸林との関係はどうだったのだろう。

　というのも、プロジェクトが始まった

当初に現場を訪ねてすぐ気づいたことが、北釜に比べた閖上の人々とプロジェクトとのつながりの薄さだったからだ。農業と漁業の違いはあっても、家や庭、洗濯物、車などを潮風や砂から守ってくれる松林の恩恵をこうむってきたのは同じはずである。それに、閖上は北釜の15倍、6000も人口があったのだ、と疑問にも思い、いろいろな人に話を聞いてみたのである。

震災4年前の写真に松林（85ページの写真⑦）が黒々と映っている。閖上の町の東側の海辺にも海岸林があったことがわかる。その海岸部を地元の人は「須賀《すか》」「東須賀」と呼んでいた。須賀は海岸などの砂地、砂丘の意味だとは、すでに書いた。

ただ、松林に接するように家を建て、田畑をつくっていた北釜とは異なり、閖上の町や漁港（写真①）と須賀との間には入り江の広浦（写真③）が深く入り込んでいる。海岸へは広浦橋（写真②）を渡っていくのだが、橋がかかったのは1956（昭和31）年。それまでは、地元で「さくば」と呼ぶ底の平らな小さな木舟を使うか、ときおりわんぱく坊主が泳ぐかして渡るしかなかった。漁師町である。小学生にもなれば、多くの男の子は櫓《ろ》や「けいぼう」と呼ばれた棒でさくばを操ることができたそうだ。

ガスが普及する昭和40年代ごろまでは、かまの焚きつけにする松葉や松ぼっくりを集める。あるいはキノコをとる。松林と

「さくば」大切な生活の道具でもあった（昭和30年代初期、「むかしの写真集　閖上」より）

生活とのかかわりは北釜も閖上も同じだった。閖上の子どもが須賀へ行くことは、家の手伝いでもあり遊びでもあった。ただ、集落全体で松葉の集め方などにルールをつくって管理していた北釜と、広浦に隔てられていた閖上とは、海岸林との結びつきもおのずから違っていたようである。

「キノコはたくさんあったみたいだが、『ここにある』と言われてもよくわからない。うまい人はちょっと地面が盛り上がってるだけで見つけるけど、こっちは3分の1もとれなかったね。野鳥のヒバリやカワラヒワ、チドリの巣を探したり、ヒワッコ（カワラヒワ）は鳥もちで捕まえたりもしたよ」と小齋さん。ただし、海岸林の中には人が住んでいて管理と監視をしていたと言う。「だから、おおっぴらにものをとったりすることはできなかったな」。今野さんが「みんなキノコのとれる場所は人には教えなかったしね」と言葉を継いだ。

少しあと、広浦橋ができてからのことだが、齋藤さんは言う。「雨が降ったあとはアミタケがよくとれるからと、おばあちゃんが須賀に行きたがったので、よく姉と私が用心棒代わりについて行きました。とれたものは塩漬けにして保存するんです」

小中学生のころは子どもだけでは広浦橋を渡ることはできず、海は遊泳禁止だった。小学生は6年から1年まで地域で班をつくって片道30分ほどかけて集団登校をしていた。夏休みにはその班の親子が自転車に乗って橋を渡り、三本松という目印になる太いマツのところでボール遊びやゲームをして、お弁当を食べて帰った。「林の中は薄暗くて、ちょっと怖いと思いながら自転車で走ってると、カニが出てきたりして」。幼いころの思い出を語るとき、だれもが楽しそうである。

●マツへの愛着は北釜にかなわない

しかし、「松林への愛着は、やはり北釜の人にはかなわない」というのは、震災体験や郷土史の発信を続ける資料館「閖上の記憶」で語り部をしている渡辺成一さん（61）である。パッタ（メンコ）、駒回し、野球、広浦での貝とりやハゼの手づかみ……子ども時代にはこうした遊びに加え、松葉やキノコ、ハマボウフウを目当てにやはり「さくば」で東須賀へ出かけた。キンタケ、ギンダケ、ハツタケ、アミッコ（アミタケ）、ショウロ。キノコにも詳しい。南の北釜まで歩いていったり、時に北釜の畑でいたずらをしたりもした。「でも私たちは結局、松林には何かをとりに行ったんですね。目的がないと行かなかった。日々の生活と松林の距離は、物理的な意味だけでなく北釜の人たちと比べて離れていた」

その距離は、広浦がつくっただけではない。マツの植林や管理にだれが携わったかという問題でもある。菊池慶子・東北学院大教授は論文「仙台湾岸における防災林の植林史」に、「名取海岸の植林事業で現場の作業の中心を担ってきたのは、近代以降も一貫して、北釜の住民である」と書いている。例えば、１９３６（昭和11）年、閖上の東須賀でマツのために防風垣の設置作業をした34人のうち33人が北釜の人だったと、県の文書に記されているという。

戦後、現在の漁港の対岸の浜では年に1回、漁船を陸に引き揚げて修繕していた（写真⑧）。菊池教授によると、そのあたりのマツは1955（昭和30）年前後にあらためて植えられたものだ。小齋さんも葦簀《よしず》で囲まれた浜に小さなマツの苗が植わっているのを覚えている。葦簀は砂が飛ぶのを防ぐための堆砂垣《たいさがき》だが、「ウサギか何かが苗を食べるのを防いでるのかと思ってた」。

「そこから800メートルほど松林を南に行くと石碑があった。その近くに番人だか管理人だかの一家の住まいがあった」と言う。その碑が、すでに触れた大正天皇即位の記念植樹を記録するため1916（大正5）年に建てられたもので、震災後に広浦の水辺で見つかっている。

「閖上の記憶」で資料を
整理する渡辺成一さん

石碑や人家は渡辺さんの記憶にも残っている。わんぱくたちにとっては、石碑は場所の目印になり、林の中の家はいたずらをする際の「警戒対象」だったのである。

そうした思い出は鮮明な二人が、マツをだれが植えたのか、管理はどうしていたのかについては「聞いたことなかったねえ」「わからないですねえ」と口をそろえる。震災後、お年寄りの話を集めた『閖上』津波に消えた町のむかしの暮らし」という冊子が出版されている。子どものころ須賀に渡ってハマグリをとり、焚火で焼いて食べた。その味はいまも忘れられない——冊子の中にそんな思い出はあっても、海岸のマツと生活とのかかわりを語る人はいなかった。

海岸林は「潮害防備」や「防風」「飛砂防備」、さらには「保健（レクリエーション）」を担う保安林なのだが、もしかしたら「魚つき保安林」にもあたるのではないか。「魚つき」とは、水面に影を落としたり海に養分を供給したりして魚が増えやすい環境をつくることである。そう思いついて小齋さんに尋ねたのだが、「そんな話は知らないなあ」。漁業と海岸林との関係は、やはり薄いのだった。地域の性格やちょっとした地理的条件の違いで、松林をどの程度身近に感じるかにも大きな差が出る。閖上の人々の話はそんなことを物語っている。

ただ、齋藤さんの子どものころはエアコンのある家は少なく、網戸の窓から波の音とともに潮の香りが入ってきた。時には洗濯物が塩っぽくなったり、サッシに白い錆《さび》が浮いたりもした。閖上は海辺の町であり、海岸林の恩恵を少なからず受けていたことは間違いない。

閖上には海岸林より有名なマツがある。

名取川（写真⑤）の、写真よりもう少し上流の土手には「あんどん松」という立派なクロマツ40本ほどの並木がいまも残っていて、名取市の登録文化財に指定されている。海からもよく見えるので、「昔は方向を見るのに使っていた。いまはGPSがあるけど」と小齋さん。遠くの山と組み合わせて海の上での自分の位置を知ったりもした。これは「山合わせ」と言った。

ただ、灯台のように夜間に漁船の目印になるよう、行燈《あんどん》をマツにつるしたから「あんどん松」

だという話になると、「多分につくられた物語ではないか」と渡辺さんは疑問を感じている。行燈をつるすといっても、だれが、いつ、どのように、という記録はなく根拠がはっきりしないからだと言う。「本当に愛着があれば記録が残っているはずだと思いますよ」

松並木は確かに遠目によく見えるが、渡辺さんの子どものころはみんな、ただ「土手の松」と言っていたそうだ。そういえば、名取市が建てた「あんどん松」の案内板には、「漁師が灯台がわりに目印にしていたとも伝えられています」とあった。「とも伝えられる」とは、根拠があいまいなことをなかば白状するときの新聞記事の常套句でもある。

第7章　閖上が目指す新しい町づくり

太平洋や広浦、名取川、そして貞山運河（貞山堀）。閖上《ゆりあげ》は水と縁が深い場所である。あまり見かけない「閖」の字自体が町の歴史を物語るようでもある。どちらも言い伝えだが、17世紀末、第四代仙台藩主の伊達綱村が寺院に参詣して山門越しに遠く浜を眺め、家臣との間で「あれはどこか」「ゆりあげ浜です」「文字はどう書くか」「ありません」「ならば門の中に水と書くように」というやり取りを交わしたとか、火災に悩む村に「閖」の字を使うよう神託があったとか、そんな説が残っている。

ただ、塩分を含まない水には乏しく、水路をつくって5キロほど西の湧水を引いていた。この水が農業用水のほか戦後間もなくまでは飲料水としても使われ、閖上の発展に寄与したという。

北の塩釜と南の亘理《わたり》を結ぶ宮城県の県道が閖上には走っている。この県道に名取川をまたぐ閖上大橋がかかったのは１９７２（昭和47）年。それまでは名取川の渡し舟が、県道の一部として人々の往来を支えていた。渡し守は県職員だったという。

広い意味での閖上地区はもともと閖上浜といわれた海に近い地域と、農業が中心の内陸部に大きく分かれ、それぞれ「町区《まちく》」「陸区《おかく》」と呼ばれている。漁師が闊歩《かっぽ》し、朝には「五十集《いさば》」と呼ばれる女性が背負いかごに魚を入れて行商に出かけていく——それは町区の光景で、「陸区は閖上ではない」という町区のお年寄りも多かったという。しかし、そうした海辺の町の風景は日本の高度成長と歩みを合わせるように消えていった。

大きな要因は、昭和40年代ごろから続く漁業の衰退だ。名取市閖上郷土史研究会・岡崎一郎さん編さんの『閖上風土記』には、1952（昭和27）年当時、町区の世帯の77％が直接、間接に漁業にかかわっていたという記述がある。名取市によれば、兼業も含めた漁業に従事する世帯は1973（昭和48）年に104だったのに、35年後、震災前の2008（平成20）年には31に減っていた。

早朝、行商に出かける五十集（いさば）
（1956年、「むかしの写真集　閖上」より）

漁船の大型化が進む中、「閖上漁港は名取川の河口港であるために、大洪水には河口が変動しあるいは河床が高くなって、大型船の出入りに支障を来たす」（「名取市史」）のも漁業の発展を妨げた要因だった。流されてきて河口周辺にたまる漂砂は閖上漁港の大敵だった。

ちょっとした話だが、閖上にかつてあった映画館の思い出を、「名取ハマボウフウの会」理事長の今野義正さんや漁師の小齋力男さんは、「一軒は映画ばかりかけていたけど、もう一つでは演芸なんかもやっていた。渡し舟に乗って仙台の方から女の子も来ていたね」と楽しそうに語るのに、20歳あまり若い世代の齋藤静子さんが覚えているのは、「映画館は廃墟になっていて怖かった」こと。そんな一事にも、街の移ろいはうかがえる。

会社員になって故郷を離れていた今野さんが閖上に戻ってきたのは、1975(昭和50)年。漁業と地元の水産加工業、農業に携わる人のほかに、名取の中心部や仙台などに通うサラリーマンが増えつつあるころだった。「それでも年寄りを中心に町内会をつくって、地区対抗の運動会ではリレーなんか狂ったように応援したんですよ。小1から中3まで男女一人ずつ各地区から出て、その上は10年ごとの年代別に選手を決めて、延々と走る。町内会の役員が脚の速い子の評判を聞きつけて口説きにいけば、嫌だとは言えませんからね」。都市化の流れの中で、コミュニティーはまだ命脈を保っていた。

震災前、閖上には「震嘯《しんしょう》記念」と題した石碑が建っていた。1933(昭和8)年の昭和三陸津波のあと、津波への警戒を住民に促すためにつくられたもので、「地震があったら津浪の用心」と刻まれている。「震嘯」とは、いまでは大きな辞書にも載っていないが、昭和三陸津波のころは行政を中心に使われた「津波」を意味する言葉である。河川を潮がさかのぼる「海嘯」と区別する意味合いがあったようだ。

碑は、死傷者はなかったものの住宅の浸水や漁船の被害があったことを記し、「天災地変ハ人カノ予知シ難キモノナルヲ以《もっ》テ緊急護岸ノ万策ヲ講ズベキハ勿論《もちろん》平素用心ヲ怠ラズ変ニ応ズルノ覚悟ナカルベカラズ」と訴えている。碑は津波に流され、閖上の震災メモリアル公園に移して建てられている。地域の津波に対するかつての警戒感をいまに伝えるものである。

●施設は震災前より立派になった

名取市によると、「町区」にあたる閖上では、約5900人のうち670人が東日本大震災の犠牲になった。齋藤さんは、子どものころ祖母に付き添って一緒に松林にキノコ採りに出かけた姉を亡くした。今野さんは身内は無事だったが、顔と名前が一致する犠牲者が54人に上った。小齋さんはそのころ、午後に海岸の松林を散歩するのが日課になっていた。当日はたまたま「寄合」(会合)があって散歩に出られず、難を逃れた――。震災は人々の命や生活を巻き込み、そして閖上の町は事実上なくなった。

少し話はそれるが、オイスカの吉田俊通さんの長男が震災の年、小学校を卒業した。震災2週間後の3月25日に東京・昭島市の小学校体育館で行われた卒業式に、当時面倒をみていた少年野球チームのメンバーの父親たちとともに参列した吉田さんは、思わず涙を流した。「つられて泣くおやじもいたけど、僕は別の理由で泣いたんです」。この時、脳裏に浮かんでいたのが、ニュースで知った津波に飲み込まれた閖上中学校の体育館の惨状だったという。

震災後の閖上（2011 年 4 月 17 日、東北地域づくり協会提供）

閖上中学校は、震災当日の午前中が卒業式だった。卒業式を終えたばかりの3人を含む生徒14人が津波に命を奪われていた。自分は、同じような体育館に座って、仲間のおやじたちと一緒に子どもの卒業を祝っている――「そのときは名取でプロジェクトをやるとは思わなかったですけど、『俺は絶対にやるぞ』って決意して涙が出てきたんです。理屈は何もなくて、ただやるぞって。息子は専門学校生になりましたが、あの卒業式が私の一番の原動力ですね」と吉田さんはいまでも言う。閖上とプロジェクトとは早い時期から見えざる縁があった、ということになるのだろうか。

震災後、集落全体が人が住むことを禁じる「災害危険区域」に指定されて「無人」になった北釜と違い、閖上ではかつての住民を呼び戻し、あるいは新たな定住者を招いて町をつくり直そうという試みが続いている。閖上でも海に近い災害危険区域は人が住めないので、水産加工などの工場やスポーツ施設に、その内陸側は最大5メートルかさ上げするなどの対策をほどこしたうえで住宅地に、といった計画である。

住宅地には、帰還について被災者の希望を聞きながら、戸建てと団地型の復興公営住宅がつくられた。震災のあと、時間がたつとともに亡くなる人や別の場所に生活基盤ができる人もあり、必ずしも計画通りに進んでいないが、2020（令和2）年6月末現在、区画整理が進む住宅地区に建てた公営住宅655戸には641世帯、1214人が住んでいる。市はこのエリアに2100人の人口を見込んでいる。同じ時点の居住者は約1700人である。

被災した閖上小学校、閖上中学校は2018（平成30）年4月、小中一貫の閖上小中学校に生まれ変わって開校した。震災前には小中あわせて447人だった児童生徒は、3年目の2020（令和2）年7月1日時点で299人。保育所や幼稚園など子育て施設の整備も進み、この年7月にはスーパーや薬局、フードコートが入った大型ショッピングモールが開店した。郵便局ができ、来年には交番も設置される予定という。

「依然として病院がないのが問題。せめてクリニックでも」という話を聞く。そうした不便は抱えながらも、名取市では、新たに来る人も含めた定住人口、観光による交流人口、企業誘致が生み出す通勤人口、三つの「人口」を軸にして町づくりを進める計画だという。

観光といえば、毎週日曜に開かれている閖上漁港の朝市には、ことしはともかく、昨年まで

賑わいを見せる日曜の朝市
（2019 年 6 月）

閖上中心部に開店したショッピングモール（2020 年 7 月）

は年間約40万人がやってきた。昨年は、青森県から福島県にかけて東北の太平洋岸につくられた散策路「みちのく潮風トレイル」を歩こうという人のための情報拠点「名取トレイルセンター」や、約30の食堂や土産物店が名取川沿いに連なる「かわまちてらす閖上」が相次いでオープンした。震災前に海岸林の中にあった「サイクルスポーツセンター」も、ことし10月に再建された。震災の記憶を後世に伝えようという「震災復興伝承館」もできた。閖上には、市内のほかのどの地区にもまして人を集める施設が次々に生まれつつある。

居住地域は三地区に分かれ、それぞれ町内会がスタートした。自宅が震災で壊れずにすんだ今野さんは、一番海から離れた西側の地区の町内会の会長をつとめ、登校する子どもたちのための「旗振り」活動もしている。「国も自治体もお金をかけてハードは震災前よりむしろ立派になった。でも、コミュニティーの再建はこれから」というのが実感だ。

「震災前から引き続きいる人、いったん避難して戻ってきた人、新しく来た人。町内会にはさまざまな人がいる。市がなんでもしてくれる、という被災者エゴが抜けない人もいるし、最近は個人情報保護の問題があります。でも、震災の時、1個のおにぎり分け合ってあんなに助け合ったじゃないですか。その体験を大切にしないと。明るく住みやすい安心安全な町をつくるというビジョンを共有して、知らない間にサリンをつくってるような人をなくしましょうということです」

公園の草取りに続いて、8月にははじめての夏祭りが行われ、町内会に加盟する221世帯の3割が参加して盆踊りやヨーヨー釣りなどを楽しんだ。町内会発足後、各戸に家族構成や年齢、緊急連絡先などを提出してくれるよう依頼したところ、数軒をのぞいて協力してもらえたという。

津波に漁船を流された小齋さんは、北海道や青森まで出かけて中古船を買い、震災1年後にアカガイ漁を再開した。いまは5トンの新造船「第十八広漁丸」に買いかえて、市場の開いている週5日、海に出る。「閖上のアカガイ」は地元が期待する特産品である。ただ、震災後は貝毒が検出されることが増え、しばしば漁ができなくなった。ことしも5月に貝毒が検出され、7、8月は産卵期で禁漁。長期間アカガイ漁は休むことになった。

その間、漁師たちはガザミ（ワタリガニ）、スズキ、コチ、ヒラ

小齋力男さんと第十八広漁丸

メなどさまざまな魚介をとっている。小齋さんが期待をかけるのが、これも「北限のしらす」ブランドとして数年前から売り出しているシラス。漁期は7~11月で、10月になるととれなくなるというが、人気が出てきたこともあってアカガイに匹敵する収入になるという。

「閖上の記憶」の語り部、渡辺成一さんは震災後、内陸部に移って娘一家の県営住宅や民間のアパートで暮らし、7年たった一昨年3月に戸建ての復興公営住宅に引っ越してきた。「反省すべきところは反省し、状況をきちんと把握できれば一度津波が来たところでも『住まない』という選択肢はなかった。どんな形であれ戻りたいと思っていたんです。家内は違う考えでしたが」

●イネの生育にもマツが一役買った

閖上は大きく姿を変えた。渡辺さんは、震災直後には想像できなかったぐらいに立派な町になってきたと言う。企業誘致も進みつつあり、社員のための寮もできた。土ぼこり舞う広大な土地は水田になった。ただ、まだ空き地も目立つし、団地型の復興公営住宅では高齢化が進み、若い家族も多い戸建て住宅とは様相が異なっている。閖上はこれからどんな街になっていくのか、どのくらいの時間がかかるのか。まだはっきりしたことはわからない。

そうした閖上の変化と並行するように、海岸に植えられたマツも成長していくことになる。

ボランティアに参加した齋藤静子さん（2019年4月）

高橋恒男さん

そして、成長したマツは閖上の新しい町を砂や塩、風から守り、憩いの場にもなることだろう。あるいは津波のとき、被害を小さくするために役立つことだろう。そのために植えられたのである。

いま、海から3キロメートルほど内陸に入った陸区で農業を営む高橋恒男さん(69)から面白い話を聞いた。高橋さんは震災前、もっと海に近い場所にも水田を持っていた。その海側には松並木があった。海岸ではなく少し内側に植えられた「内陸防風林」だ。

「マツから100メートルぐらい内陸側まで、イネの育ちが1週間ほど早いんですよ。海風をブロックしてたからだね。それからズンズン薄れていくんだが、300メートルぐらい離れたところまで効果はありましたね」。海岸林ではないけれど、マツの効果を日々感じていた人の声である。

閖上出身で、いまは亘理町に住む齋藤さんは言う。「震災後の余裕のない生活の中で、海外からもボランティアの人たちが来ているのを知りながら、ああ自分は何もできない根性なしだと思って悲しかったんです。でも、勤め先のニコンを通じてオイスカのボランティアの話があった時、意気地なしでもこれならできると

閖上の住民も参加した海岸のゴミ拾い活動

堤防をはさんで500 mほど離れた場所では、オイスカのボランティア活動も（2019年4月20日）

参加しました。海に来るのは嫌でしたが、だんだん大丈夫になりました」

小齋さんの思い出話もいい。「マツに積もった雪が融ける時、松葉の先についた水滴が朝日にあたってキラキラ光るでしょ。あれ、きれいだったな。なくなると寂しいねえ」

２０１９（平成31）年４月の土曜日、「ハマボウフウの会」や仙台の企業の労働組合などが中心になって人を集め、閖上海岸の砂浜ではゴミ拾いのボランティア活動が行われていた。堤防をはさんだ内陸側、直線距離で５００メートルも離れていない海岸林プロジェクトの現場には、水はけをよくするための排水溝づくりに精を出すオイスカのボランティアの姿があった。お互い知らぬままの活動なのがちょっと残念な光景だった。

海岸林はかつて「あるのがあたりまえ」だった。再生される時、新しい松林は新しい町とどんな関係が築けるのだろうか。

第8章　プロジェクトへのゴーサイン

ヨーロッパの国民性の違いを「イギリス人は歩きながら考える。フランス人は考えたあとで走りだす。そしてスペイン人は、走ってしまったあとで考える」とたとえることは、わりとよく知られている（石井洋二郎『フランス的思考』）。日本では、「日本人は誰かが走っていると、そのあとについて走る」と付け加えるのがミソだが、プロジェクトに臨むオイスカは、そんな日本人とはほど遠かった。風車に突っ込むドン・キホーテとまでは言わないが、とにかく走ってしまうスペイン人気質を思わせるものだった。

「津波で流された海岸の松林を再生する手伝いをしたい」という話を、私がオイスカの吉田俊通さんからはじめて聞いたのは、震災から1カ月半近くたった4月22日だった。その時点では「どこで？」も含め大事なことは何も決まっていない。プロジェクトは海のものとも山のものともつかなかった。ただ、一つだけ確定していることがあった。7月11日月曜日に東京で開くシンポジウムである。プロジェクトは漠として方向も定まらぬまま、しかし走りだしていた。

4月4日に皆川芳嗣林野庁長官（当時）に会った時、オイスカの側が9月ごろシンポジウムをしたいと言うと、「もっと早く、7月ごろがいい」とアドバイスを受けた。政府の海岸林再生に関する検討会が中間報告を出す時期に合わせて、という趣旨だったようだが、「ならば」とすぐに動き出すのがオイスカの流儀である。会場探し、テーマの選定と登壇者の確保、参加者や後援・協賛団体集め、広報・宣伝……。準備期間は3カ月。当時、オイスカ内の海岸林担当は事実上吉田さん一人、自称「5時から男」が作業の大波に飲み込まれた。「5時から男」とは、勤務時間は適当にやり過ごし、仕事が終わる夕方から急に張り切る人を揶揄《やゆ》するかつての流行語である。

●一番槍で募金集めには「勝負あり」

「一人でもやる」と最初から見えを切っていた吉田さんはそのころ、「三方面作戦」を考えていた。地元の人々との話し合い、林野庁など役所との折衝、そして支援者探しである。とりあえず、その要になるイベントとして据えたのがシンポジウムだった。

幸い、プロジェクトの場所は名取に絞り込まれつつあった。しかし、シンポ準備の突貫仕事が間に合わない。3日前の金曜日からほとんど徹夜になった。週末、親しい職員二人が自分の仕事もこなしながら資料づくりや印刷を手伝った。「こっちがへろへろで目が血走っていたからでしょうね。あの二人がいなければ完全に潰れていた」と吉田さん。

伝った方の職員は、「彼のつくった資料の文章はよれよれで、とても使えるものではた」と添削に精を出した。持つべきものは仲間である。

「東北にもう一度、白砂青松を取り戻したい」と題して東京・千駄ケ谷の津田ホールで開かれたシンポジウムには、さまざまな伝手を通じて集めた３５０人が訪れた。オイスカ職員は、ほぼ総出で会場の仕事を分担、「プロジェクトは吉田任せ」の組織が、この日は一体感を見せた。

壇上には皆川林野庁長官、政府の検討会の太田猛彦座長（東京大学名誉教授、69）、名取市東部震災復興の会の鈴木英二会長（現名取市海岸林再生の会会長）、宮城中央森林組合の佐々木勝義・森林活用課長（現松島森林総合代表）らが並んだ。２００４年のインドネシア・スマトラ沖大地震の復興に携わったオイスカの現地の担当者も含め、顔ぶれに苦心がうかがえた。

2011 年 7 月 11 日のシンポには 350 人が集まった

シンポジウムで発信したかったのは「国民運動型プロジェクト」を目指すというメッセージだった。「『国民運動』というのはオイスカでも一世代上がよく口にする言葉で、私たちが好んで使うわけではありません。でも、『市民参加』と同じく、自分たちだけで進めるのではない、ということが伝わる。『市民』より『国民』の方がいい、などという話を林野庁の知人とも話して、プロジェクトの理念にしました」と吉田さんは説明する。

私なりの解釈では、「国民運動」はなるべく広い層を巻き込むことがポイントになる。それを国民の側からみれば、①知る②関心を持つ③参加する、の三段階がある。まずは、何らかの形で情報に接する。次に運動の役割や目的を理解する。そして実際にボランティアをしたり寄付したりする……。行政、学界、地元、林業関係の人々が並んだシンポジウムは、プロジェクトが各界の「お墨つき」を得たものであることを印象づけることを狙い、そして成功した。

たとえば、海岸林再生を担う林野庁のトップが出席するにしても、往々にしてみられるように冒頭の挨拶だけして退席するのと、閉会まで会場にいて登壇者としてシンポジウムで発言するのとではインパクトが違う。企業もそうしたことには敏感だ。オイスカは皆川長官に感謝した。

シンポジウムの目的をより具体的にいうと、少々荒っぽい吉田流の表現を借りれば「投網《とあみ》をかける」ことだった。国民運動の基礎になる名簿集めである。とくに、寄付を募るために欠かせない企業のリストがほしかった。当時、震災復興をどう支援するかは企業にとっても大きなテーマで、シンポジウムにはCSR（企業の社会的責任）部門の担当者を中心に約70社が参加した。このうち何社かは、寄付や社員ボランティアを通じてプロジェクトを支えていくことになる。

参加者にカード会社、三菱UFJニコスの佐々木宗平会長（当時、61）の姿があった。震災3月後の4月1日付で、社長から会長に転じて「震災復興支援」を担当、2007（平成19）年合併で誕生したばかりの同社の企業文化を育む意味でも、復興支援に力を入れる考えを社員に表明していた。どんな支援が可能か、担当者はインターネットで手当たり次第情報を集めた。試行錯誤の結果、オイスカの働きかけもあってこのプロジェクトを柱の一つに据えることになる。

同社はかねてオイスカの海外事業に寄付を続けていたが、長期的な復興支援のシンボルとして海岸林再生を重点的に応援する方向に舵を切ることを、6月の経営会議で決めた。担当者がつくった資料に、プロジェクトは「現在計画中」とあったという。いわば先物買い。プロジェクトへの寄付も企業のなかでは一番乗りで、オイスカを大いに勇気づけた。

三菱ＵＦＪニコスの佐々木会長（右から2人目）はプロジェクト事務所のお披露目にも参加した。右端は全日本空輸の篠辺修副社長（名取市、2012年4月26日）

「支援は『細く長く』を大切に」と佐々木会長はよく言い、その後、業績の浮き沈みはあっても寄付が途絶えることはない。同社の佐藤俊二執行役員(46)は「一番バッターとして寄付の累計では他社に負けたくない気持ちもある。社内には『法人税も払えないほど業績が大変な時期に寄付を続けるのか』という疑問もあったが、社会と当社の関わりのシンボルとしてやるべきことだということを、歴代の経営トップも理解している」と話している。

吉田さんは、もらった名刺の整理が上手で、いろいろな人の連絡先を尋ねるとたちどころに名刺を出してくる。コツの一つが一度必要になったものは一番手前にしまい直すことなのだそうだが、このシンポジウムで集めた名刺は何度も使うのでずっと手前にあることが多かったという。

「お金集めという意味では、7月11日で勝負ありです。きつかったけれど、早く動いたから企業も集まった。シンポジウムは、もう少しプロジェクトが具体的になった10月にもう一度やりましたが、ほとんど結果は出なかった」と吉田さん。いち早く名乗りを上げて、とにもかくにも走りだしたオイスカと、未曽有の災害のあとの行動を模索していた企業の波長とがうまく合ったということだろう。吉田さんが繰り返す「一番槍」の価値である。

シンポジウムの休憩時間、皆川林野庁長官と太田東大名誉教授が立ち話をしていた。「苗木に目をつけたのはすごい」。そんな声が聞こえてきた。地元の被災農家の専門性を生かして苗木生産から担うというのは、このプロジェクトの肝の一つである。オイスカにとっては「してやったり」だった。

●変わっていく宮城県の対応

その苗木づくりを担うことになる名取市民ら約40人が大型バスで東京に招かれていた。会場でシンポジウムを聴き、そのあとは杉並区のオイスカ本部3階の和室に宿泊、コンビニで買った総菜をさかなに飲み、雑魚寝《ざこね》した。震災後ちょうど4カ月、「あの時は海岸林どうのこうのというより、みんなでバス旅行することで絆を確かめたかったんだね」と参加者は話している。5月24日のオイスカとの話し合いで厳しい質問を浴びせた後《のち》の名取市議、小野泰弘さんも、その中にいた。

オイスカ本部に宿泊した名取市民
（2011年7月11日）

ただ、そう簡単に地元がプロジェクトに乗り気になったわけではない。「利用されるだけだ」「行政に任せればいい」。そんな意見はずっとくすぶっていたし、お互いの身の振り方をめぐっては、とくにお金がからめばひがみやねたみも生まれる。被災農家のなかには、技術や経験を生かせる仕事を求めて名取から近隣の白石市などへ働きに出る人もいた。

クロマツの種まきは春。震災の翌年の春にできなければ、計画はまるまる1年遅れてしまうことになる。一方で、「地元とツーカーになるには3年かかる」ともいわれていた。そもそも、1カ月半前までは何のゆかりもなかった場所である。走りだしたからといって、結果がついてくるわけではなかった……。

このころ、苗木生産業への「新規参入」をめぐる宮城県との折衝が続いていた。林業を担当する部署にさえオイスカを知る職員がほとんどいない、県にとっては「寝耳に水」の状態からの出発だった。

県森林整備課が、6月13日付でオイスカに質問を出した。①クロマツの苗は一時的に需要は増えても将来にわたっての需要はさほど多くはない②苗木生産業自体が低調である——といった条件から「被災された農業者の方の収入確保を目的とした（苗木生産業への）新規参入は、難しい面があるとも思われる」とし、生産規模や広範な塩害がある土地での苗畑の確保などに関して質問を並べている。

「貴財団で考えている当該事業のスキーム（ポンチ絵等）の提供をお願いしたい」と結んだこのメールは、プロジェクトに懐疑的なだけでなく、「上から目線」を感じさせる。「ポンチ絵（イラストや図を使った企画書などを指す官庁用語）」といった一般の人になじみの薄い言葉にも、そうした姿勢は見てとれる。

これに対してオイスカ側は、必要な苗木600万本と県内の業者の実際の生産能力の差をもとに、参入の必要性を訴えた。主役はあくまで被災農家で、苗木生産は彼らの生活再建のための仕事だということも強調した。

プロジェクトを具体化する作業は仙台市内のスナックでも開店前の昼間に行われた（2011年7月25日）

7月、8月。県の対応が変わっていった。県によれば、先走らずに行政の計画に沿って長期的にプロジェクトを進めようという姿勢、主役は地元でオイスカは後方支援を担うという「ぶれない説明」が理解されていくのである。その間、県の担当者からはしつこいほど細部の確認を求める連絡があった。オイスカとはいかなる組織かも調べあげ、「できるわけはないだろう」という担当部局のムードが覆っていく。「新規参入は困る」と言っていた県内の種苗業者の納得も得て、県は8月、クロマツの種苗を取り扱う資格を得るための講習会をオイスカ向けに11月に開くことを決める。県が出した事実上のゴーサインである。

●「いいことやるんだろ　俺はやるよ」

一方、地元の人々との関係に「ゴーサイン」が出たのは9月30日だ。

この日夕、名取にいた吉田さんは森清さんに「吉田君、ちょっと来い」と声をかけられた。森さんはすでに何度も登場した北釜集落の被災農家の人である。「またつるしあげですかあ」、冗

9月30日の「とんちゃん」で挨拶する地元の代表。20人以上が参加した

地元での説明会。意見はなかなかまとまらなかったが……（2011年9月6日）

談半分そう言いながらチームの面々と連れられて行った先の空き地は煙もうもう。これまでと様子が違う。海辺の北釜だけでなく、もう少し内陸のいくつかの地区の人も含めて20人あまりが集まり、ホルモン焼きの宴会が始まっていた。

「俺たち、お前ら認めるから」と乾杯の音頭。「疑って悪かった」という言葉。なお緊張を隠せぬオイスカ・チームの面々に何度も酒が注がれた。ホルモン焼きの宴会は地元で「とんちゃん」と呼ばれ、農村地区では播種や収穫など仕事の節目ごとによく催していた。だから本来なら特別なことではないのだが、震災後はそんな集まりもなくなっていた。地元の人たちにとっては震災後半年たって元気でいることを確かめる日、そして、招かれたオイスカにとっても感激ひとしおの特別な日になった。

オイスカの側には、苗づくりの仕事は女性にもできるという考えがあったし、スーパーなどの業種からは、「女性が活躍しているプロジェクトだと応援しやすい」という声も届いていた。「とんちゃん」には残念ながら女性の姿はなかったが、それでも、「これだけいれば育苗の人手は集まるなあ」と確信が持てるくらい、空き地は盛り上がっていた。体育館の避難所から仮設住宅に移った被災者を追うように続けられた、ほぼ4カ月にわたる働きかけが実ったのである。

そのヤマ場は、9月6日の仮設の集会所での会合だった。それまでに「10年で名取の海岸100ヘクタール（地元では「100町歩」と言った方が通りがいい）に50万本のマツの苗木を植える。苗木生産は地元被災農家が仕事として担い、10億円の費用は全額寄付で賄う」というわかりやすいプロジェクトの概要がまとまっていた。さて、地元としてこの話に乗るかどうか――。何度か繰り返されてきた、そんな話し合いである。

やる気の人もいた。「農業をしていると、子育てと同じで、こちらが植物に育てられていると思うことがある。苗木づくりに打ち込めば、同じ感覚が得られるのではないか」と当初から乗り気の森さんは思ったという。一方で、なお不信感があった。会場では相変わらずビデオが回り、「うまいこと言って、まだ立ち直れない被災者をもう一度被災者にするつもりか」と言わんばかりの、厳しい質問が飛んできた。そこまでなくても、「100町歩は大きすぎて手に負えん」「右も左もわからんのに、やってられるか」「がれきの片づけやっても稼げるのに」という意見もつぎつぎ出てきた。

地元のまとめ役の人たちからは、しつこいほど賃金の質問が出た。5月の初顔合わせの時から、ずっと同じである。「時給はいくらだ」―「ちゃんと組織が立ち上がって種苗組合にも入り、段取りがついたら平均労賃に上乗せして払います。もう少し時間をください」。そんな押し問答が続く。この日が42歳の誕生日だった吉田さんは、相手の立場を理解しつつも、「そこまで疑うことはないだろう。くどすぎる」と思った。思っても、こちらがけんか腰になってしまっては台無しだと自分を抑え、余計なことを言って言質《げんち》をとられることのないよう注意し続けた。

北釜の何人かを除くと、大勢は否定的になっていく。席を立つ人もあった。集会所は静まり返る。と、すっと立ち上がった人がいる。「いいことやるんだろ。だったら俺はやるよ」。海から2・5キロメートルほど内陸に入った杉ケ袋北（杉北）地区で、農業を営んでいた大友英雄さん（61）である。地区の町内会副会長の大友さんは、小中学校の同級生だった北釜の高梨仁さんに声をかけられ町内会長とともに会合に出た。それまで「海岸林をどうこうする」という話自体を知らず、会合での発言もこのときがはじめてだった。

子どものころから松林に愛着を持っていた。教室の暖房に使うために学校から松ぼっくりを拾いに行っていたし、キノコ狩りにも行った。「松葉を燃料にすると煙がひどくて、海岸沿いに住む人たちは目を赤くしてたな」などという思い出もあった。

農家としても、因果関係が証明されていたわけではないが、海からの東風が吹くとキュウリなどの収穫にも影響が出ることをずっと実感していたという。「あのままじゃあ、話は立ち消えになるのかなって雰囲気だった。松林がまたできるのなら、この団体に利用されたってどうだっていいっていう気持ちだった」と大友さんは当時を振り返る。

苗づくり作業中の大友英雄さん（２０１２年11月）

町内会長はこの話に関心を示さず、結局は乗ってこなかったから、参加者の多くがオイスカの説明に納得したわけではない。しかし、反対の方に傾いていた会合の流れは、大友さんの一言でがらり変わった。会場で、なりゆきを案じて息をこらしていたオイスカの若い女性職員は、思わず涙を流していた。

「すげえな」。大友さんとはそれまで接点のなかったオイスカの側がむしろ驚いた。大友さんはその後、苗づくりを担う被災農家でつくる「名取市海岸林再生の会」の中心メンバーとなっただけではない。海から離れた地区に住む友人、知人に参加を呼びかけ、再生の会の会員が海辺の北釜集落出身者にとどまらず、広がりをみせる立役者になった。

第9章　プロジェクトの性格を決める人

２０１１（平成23）年9月22日、オイスカが『『海岸林再生プロジェクト10ヵ年計画』開始」と題するプレスリリースを出した。

このころまでに、10年間に寄付10億円を集め、宮城県名取市の海岸１００ヘクタールに、被災者が育てたクロマツの苗木50万本を植えるプロジェクトのかたちがあらかた固まっていた。地元の協力、行政との折衝、そして寄付をしてくれる支援者探しという「三方面作戦」にもめどがついてきていた。

ただ、記者発表の文言はあいまいで、場所については宮城県の「仙台平野一帯」などとあるだけ。「名取市」という具体的な地域にも事業の規模にも触れていない。このときは、各地の海岸林再生について、国や自治体の方針はまだ定まっていなかった。プロジェクトはＮＧＯが好き勝手にやるのではない、あくまで「自治体などで策定される復興計画と調整を図りながら」進め、先走った印象を与えないという考えが反映された文面だった。

そんななかで強調したのが、「被災地住民の雇用を伴う種苗生産」である。１７５０ヘクタールが被災した宮城県内の海岸林を再生するために必要な苗木は、600万本と見込まれている。5〜6社しかない県内の業者にはまかないきれない。被災農家をクロマツの苗を育てるプロとして雇用する。苗木生産者として県に登録し、業者でつくる組合にも加入する。そうしたシナリオや、苗畑や資機材、マツの種子などの確保にも協力することをあきらかにし、「育苗に対して収入を得ながら取り組めるよう支援」することを詳しくうたった。すでに記したように、最初は懐疑的だった宮城県の担当者や県内の既存業者が新規参入に理解を示すようになったこと、地元で「やろう」という人々の数にも見通しが立ったことで、こうした書き方をすることができたのだ。

プレスリリースではもう一点、「国民運動的な長期復興支援」のための寄付も呼びかけた。年間1億、10年で10億円という数字を実現することがとても難しいことは承知のうえだった。

●行政への協力もNGOの仕事

このあたりで、もう一度プロジェクトの中身について整理しておこう。苗木を地元で生産する、というアイデアはオイスカの海外の事業の経験、タイでのマングローブ植林などの地元の人たちとの関係から出たものだった。名取に決まったのは、オイスカの職員と名取出身者がたまたま飲み友だちだったという縁に始まったことはすでに書いた。

寄付を財源にすること、逆にいえば補助金、助成金などに頼らないことについては、吉田俊通さんが二つの理由を挙げている。監査や報告書づくりなどにかかわる煩瑣《はんさ》な事務作業を避けること、使途が決まった「ひもつき」でないお金がほしかったこと、である。「寄付集めは苦労するけど、自分たちで使い道が決められる。こちらは人もいないし、極力簡単にやりたかった」と吉田さん。苗木づくりからやれば苗の流通の経費はかからない。公共事業に比べて圧倒的に低いコストでできる、という自信もあったという。

海岸林再生は国土のインフラづくり。公共事業である。震災後、太平洋岸のほとんどの被災林は、国や県の手で再生事業が進められることになる。名取の海岸林は海側から県有林、市有林、国有林の三層に分かれているが、オイスカが乗り出さなければ間違いなく国か宮城県が事業を引き受けたはずだ。オイスカの呼びかけに対して、地元の被災者から「放っておいても国や県がやってくれるんだろ」と乗り気でない反応が出たが、じつは、その通りだったのである。

ではなぜオイスカが？　という話になる。ＮＧＯは行政の手の届かないこと、できないことをやるのが筋ではないか、という考え方もあるからだ。これについても吉田さんの述懐がある。震災の10年ほども前、ある経済人に叱られながらアドバイスを受けたのだという。「オイスカは国や自治体のやることにアンテナを張っていないし、逆に自治体から声をかけられることもない。地域への貢献も足りないし、認知もされていない。行政のいい施策に協力して仕事をするのもＮＧＯのやり方なんじゃないか——」と。

内外のオイスカの仕事には「モデル事業」があるが、それは時に独りよがりの「試験」に終わり、大きな成果に結びつかない、ということも考えていたし、外務省の幹部から「お団子（ＯＤＡＮＧＯ）でやってほしい」と言われたことも思い出した。海外では、公的なプログラムのＯＤＡ（政府開発援助）とＮＧＯが協力して途上国支援を進めたいということである。そうしたさまざまな背景が今回のプロジェクトの原動力になった。

公共工事の一部分を切り離して「ＮＧＯが引き受ける」という協定を国や自治体と結べることは、これまでの保安林づくりでも経験済みだった。今回もその発想でやれば国の手はかからない。ただし、被災規模を考えると、ちょっと手伝ったくらいではかえって足手まといになる、ある程度のボリュームを引き受けなければならない――。そうした経緯で出てきたのが、名取市のほぼ全域、１００ヘクタールという面積と10年、10億円という数字だったのである。

「面積は正確には１００ヘクタールではなかったし、海岸林が10年でできあがるわけもない。経費は何回か計算したが最大でも８億５千万円だった。ただ、ゴロを合わせてこういう数字にした。予算は『失敗費』込みということです」と吉田さん。多少アバウトではあるけれど、分かりやすくて目を引くキャッチフレーズにはなった。

行政からすれば丸投げ。その分の予算も要らなくなるが、失敗されては元も子もない。丸ごと引き受ける側は、金も技術も人手も用意する代わりに自由を求める。そしてもう一つ、市民に活躍の場をつくることが、公共事業ではかなえられない大切な目的だった。それは、被災者が仕事として苗木づくりを担うことであり、ボランティアを受け入れ寄付を集めることである。こうした「国民運動」は将来にわたって、再生される海岸林と市民との関係をより近く親密なものにすることに貢献する。そんな考えがあった。

創設から50年を経たNGOとはいえ、「任せても大丈夫」という行政の信頼を得るには時間がかかる。一NGOにこれだけの保安林づくりを任せるという前例もおそらくなかっただろう。オイスカが国、宮城県、名取市と最終的に協定を結んだのはプレスリリースを出した2年半後、2014（平成26）年2月。その2カ月後には海岸で最初の植えつけが始まるというタイミングだった。

●最新鋭機使って現場ツアー企画

じつはオイスカが記者発表をした同じ日、もう一つのプレスリリースが、全日本空輸（ANA）から出た。「ボーイング787が仙台の空へ」。新たに導入するB787を震災復興に役立てようと、10月30日に宮城県内の小学生ら260人を仙台空港発着の遊覧飛行に招待するという計画の発表である。

リリースにはあわせて、成田と仙台を往復する同じ飛行機を使ったオイスカのプロジェクトの視察ツアーについても記されていた。ANAは発表の日取りをオイスカに合わせることで、プロジェクト支援の意味もこめたのだという。

話はしばらくさかのぼる。この年の7月にオイスカが東京で開いたシンポジウムを受けて、8月8日、当時ANAのCSR推進部にいた魚田夏紀さんがオイスカ本部を一人で訪ねてきた。ANAも多くの企業と同様、「特色ある震災復興支援のかたち」を模索していたのである。

「仙台空港と周辺の人たちの暮らしを守るためというプロジェクトに感銘を受けた。エアラインとしてできる協力をしたい。お金はあまり出せないが、社内を説得するためにも知恵を貸してほしい」という魚田さん。吉田さんは「一人で来てくれた。これなら話が通じる」と思いつつ、「素人が簡単に考えてもらっては困る」と、むしろ突き放した。本人の言葉を借りれば、「ずいぶんひどいことを言っちゃったけど、かまをかけたんです」。吉田流の人心掌握術ということらしい。

それに対し、「きれいごとを言われるより信頼できる。社内で説明する材料も十分にもらえた」と好感触を持った魚田さんはしばらくして、「成田と仙台を往復するカラのB787がある、これを使って何かできないか」と持ちかける。「できるに決まってるじゃないですか。座席をください」と吉田さんが即答して実現したのが、視察なのである。

全日空は、機内誌での紹介、マイルによる寄付の仕組みづくり、ボランティア派遣などを通してプロジェクトを応援し続けている。社内でオイスカに対する支援を提案したときも、魚田さんの説明に上司から反対は出なかった。この年の10月、オイスカの50周年記念式典が当時の天皇、皇后両陛下を招いて催されると、それを知った会社のトップは「天皇陛下はなかなか来んぞ」と言って感心したという。

オイスカは160席分の参加者を集めた。無料で最新鋭機に乗れるということもあって、企業や行政、内外のメディアなどの人々は苦もなく集まった。参加者は現地で4台のバスに分乗して別々に海辺を回り、ポイントポイントで説明を受けた。裏話になるが、道もロクにない被災した海岸部を大型バス4台が鉢合わせしないように走らせる時間表づくりに、担当者は旅客機の仙台到着寸前まで苦闘した。

廃墟になったサイクルスポーツセンターの屋上から。海岸林は跡形もなかった（2011年10月30日）

ツアーはさまざまな弾みをプロジェクトにもたらした。説明役は家や田畑を失った地元の人々や研究者らが務め、口々に被害の大きさや海岸林再生の大切さを訴えた。じつは私もこのときはじめて名取市を訪れ、4階建てのサイクルスポーツセンターから見渡す「何もない海岸」を目の当たりにした。新聞記者としてプロジェクトを追い続けるインパクトになったのが、この光景だった。参加したANAの松井收CSR推進部長(当時)は、「メロン農家の壊滅的な被害が印象に残った。あって当然だったものがなくなることの影響の大きさと、それを元に戻す必要性を痛感した」と語ったという。現場を

〈説明にたった人々〉

清藤城宏オイスカ緑化技術参事　被災農家の森清さん　鈴木英二名取市東部震災復興の会会長（当時）　太田猛彦東京大名誉教授　佐々木一十郎名取市長（当時）

見ること、見せることの意味をそれぞれが心に刻んだ。

吉田さんは40席分を地方の職員も含めたオイスカの内部に割り当てた。「本来なら外部の人を招くのが筋ですが、組織内に残っていたプロジェクトに対する冷めた眼を全部消し飛ばしてやろうと思った。このツアーで内部の雰囲気はまったく変わった。それができた点でもツアーはラッキーでした」。そう振り返るのである。

●「俺は仕事請負人　結果を出す」

ツアーを現地で迎え、説明役の一人に加わったのが、後《のち》にプロジェクト全体の要につく佐々木廣一さん（60）である。

1950（昭和25）年生まれのこの人とオイスカの出会いは、この年の5月、それには第5章の末で触れた。間に入ったのは、当時、宮城中央森林組合に勤め、別のプロジェクトですでにオイスカと付き合いがあった弟の佐々木勝義さんだった。

廣一さんは、42年勤めた林野庁を3月に60歳で定年退職。5月は就職活動中で、7月から林野庁仙台森林管理署で臨時職員として若手の

佐々木廣一さん

宮城中央森林組合（当時）の佐々木勝義さん（右向き）を励ますツアー参加者

指導に当たっていた。そんな廣一さんにプロジェクトの現場の責任者になってもらおうと、オイスカは手を尽くした。夏休みには吉田さんが家族連れで廣一さんの自宅に泊めてもらったりもした。

結局、仙台森林管理署の仕事を年内いっぱいで辞め、福島県の山林放射線除染の指揮官、高校（宮城県立小牛田農林高）の先輩が経営する会社の役員などほかに再就職の誘いがいくつかあったなかで、給与が高いわけではないオイスカの仕事を選んだ。引き受けた最大の理由は、若いころの経験だったという。

高校を卒業した１９６９（昭和44）年に林野庁に入った廣一さんは、25歳からほぼ10年にわたって岩手県内の３カ所で「担当区主任」をつとめた。１９９２年に「森林官」と名が変わったこの仕事について、本人に説明してもらおう。

担当区主任は国有林5千～1万ヘクタールほどを管轄して、何から何まで一人でやる。調査して木を伐《き》って売り払って、その後にはまた植えつけをして、造林をしてという仕事をすべて計画、管理する。作業は自分のところの作業職員十数人のほかに地元の集落の人々を雇ったり、森林組合に発注したりして進める。だから、出稼ぎに行くか行かないかなど集落の人々の生活に直接影響を与えることもある。春の山入祭（山での仕事を始めるにあたっての儀式）などの時は、村長たちと並んで一番上座に並ぶ。20代の人間にとってすごい世界です。当時は公務員の倫理に関する規定がそれほど厳格でなく、羽目を外しておかしくなるやつもいる。ちゃんと山に行って現場を見ていないと、作業職員などから「オラさの主任は山来ないから、ちょっとくらい手抜きしても」と思われたりする。そうなったらしっかりした山の管理ができなくなる。失敗の責任もかぶらなくてはならない――。

国有林の事業が独立採算制だった時代と今とは事情が変わっているが、いかにも男っぽい仕事のようであって、最近は女性の森林官が増えている。全国に６００人あまりいる森林官の４～５％は女性だという。ちなみに村上龍著『新13歳のハローワーク』にも「森林官」の項目がある。こう書いている。

「全国の国有林の保護管理の最前線である森林事務所に勤務し、自分の足で国有林を歩きパトロールを行い、国有林を守り育てるための調査、管理を行う。森林官は国家公務員であることから、公務員試験に合格し、林野庁か森林管理局に採用されなければならない。日々の手入れだけでなく、５カ年計画で行われる伐採場所を決めるのも森林官の仕事であり、木や森に関してエキスパートであることが要求される。また、一日の多くの時間を森林のなかで費やすことになるため、体力があることも必須の条件。森林は水を蓄えるなど、人びとの生活にとって大切な役割をはたしており、それを支える森林官の役割も大きなものとなっている」

「若いころ鍛えられた担当区主任の経験がすべての基礎になっている」と廣一さんは言う。とくに強調するのが「技術者の顔と経営者の顔、両方を持つことが大切」ということだ。本人は技官だが、「技術をまっとうするために効果以上にコストがかかってもよしとする技術者と、費用対効果を常に考える経営者の両方であれ」と心してきたと言う。

こうした経験を活かすことができる仕事が、海岸林再生プロジェクトだった。「100ヘクタールという規模なら、定年後でもやれる」という自信もあった。海岸林には宮城県の気仙沼営林署長の時にかかわっている。再就職先の上下関係にいまさらわずらわされるのも嫌だったし、このプロジェクトなら宮城県松島町の自宅から通うこともできる。「植林がらみの事業はネームバリューを上げるために役立つと考える企業が多いが、植えっぱなしのところもある。私には国有林で培った技術力がある。その技術力を生かしたいという気もあった」と廣一さん。

国の官庁とNGOでは組織内のしきたりや文化は当然違う。「待遇もはっきり言わず、嘱託採用という話はあったが、文書による委嘱の伝達もなかった」「オイスカのことは全然知らなかった。いろいろ調べて、労務管理から現場技術指導などを含めた事業運営に関して精通する人が少ないと感じた」と廣一さんは冗談めかして辛らつだが、震災の年の夏から秋にかけて、現場を管理できる人材を探すオイスカの側は必死だった。

採用は震災翌年２０１２（平成24）年の１月１日付。東京でのオイスカ幹部との面接は１月６日だった。採用前は「植えつけや施肥、下刈りなどの造林を指導してほしい」という話で、正式採用後に苗木の生産の指導もするよう頼まれた。辞令などなく、「名刺つくらなくちゃいけないけど、佐々木さん、どういうのがいいかな」「これならみんなわかるんじゃないか」――そんなやりとりで肩書きは「名取事業統括」に決まった。公務員だった廣一さんには勝手の違うことがたくさんあった。

苗畑用地のチェック。太田清蔵宮城県農林種苗農業協同組合長（当時）は土を口に含んで質を確かめた。左後ろが佐々木廣一さん（2011年11月27日）

採用前、震災の年の秋からすでに苗畑の場所を決める作業などにもかかわった。こだわったのが現場事務所である。オイスカは、仙台駅近くのオイスカ宮城県支部を当面プロジェクトの事務所にも使う計画だった。「現場は常に見ていなきゃだめ。地元の人を雇用するのだから、雨宿りや暖をとるための場所も必要だ」と廣一さんは異を唱えた。林業の現場では、小屋を建てたり廃車になったバスに畳を敷いたりして、そんな場所を用意していたのである。面接のために上京すると、その足で吉田さんとともに前田建設工業を訪ねた。「建設会社だから現場事務所の必要性をわかってくれ、中古プレハブを寄付してもらうことになりました」

　事務所は、家が流された被災農家の人々が雑談するたまり場として、さらにボランティアの着替え・休憩場所としても重宝することになった。前田建設の社員は苗畑の防風ネットづくりにもボランティアで携わった。「雪の後の泥んこのなか、いつもはきれいな格好の事務職の女性まで働いてくれたんですよ」と廣一さんは今も感謝の念を隠さない。

「俺は仕事請負人だから、請け負ったら結果をきちんと出す。オイスカのイメージをアップし、国にも県にも市民にもオイスカに頼んでよかったと思ってもらう。日本では結果が悪かったらマスコミが大きく取り上げる。そうすれば、寄付など必要な資金が集まらなくなるからな」。そう言う廣一さんには「一刻者」の風情がある。

　先に書いたように、このプロジェクトは林野庁が進める公共工事の一部を民間が丸ごと引き受けるというものだ。その事業を林野庁ＯＢとして統括する。となれば、失敗は許されないというプレッシャーが大きいのはあたりまえだ。「結果を出す」というこの人の決意とも目標とも聞こえる言葉は、記者時代から何回となく聞いてきた。成功に比べて失敗を大きく取り上げるというマスコミの傾向も、指摘の通りである。順調に進んでいる話は概してニュースになりにくい。

　廣一さんの登場で、プロジェクトの性格は決定づけられることになった。

第10章　苗づくりを担う「海岸林再生の会」

1959（昭和34）年3月、宮城県名取市の北釜地区に住む10歳の高梨仁少年は、父に連れられ、海岸部につくられた石碑の除幕式に出かけた。辺りを駆け回って遊び、お祝いの席で飲み食いした記憶がいまも残っている。

東日本大震災から5カ月たった2011（平成23）年8月、この石碑が津波をかぶったアシ原の中、かつてと同じ場所にあるのを、高梨さんがみつけた。「愛林」と名づけられたこの碑のことは第2章でも書いたが、名取の海岸林が戦前から戦後にかけてたどった歴史が次のように記されている。

> 昭和十二年玉浦陸軍飛行場建設に当り農地を接収された北釜部落組合員は台林国有林約五十ヘクタールの所属替を受け当時の総代森良三郎氏を組合長とする北釜開墾耕地組合を組織し鋭意開墾を進め三ケ年にして立派な耕地とした
> 然《しか》し残された国有林のみにては数千ヘクタールに及ぶ名取耕地を潮害より保護するには

若干の不安を感じたので昭和二十三年潮害防備林の補強を仙台営林署に要請したところその必要性を認められ十ケ年計画の下に萱生《かよう》湿地帯に盛土工事を施し防潮林を造成することになった　この工事実施に当っては北釜部落組合員も積極的に協力し昭和三十三年十ケ年にして今日の完成を看《み》るに至った
抑々《そもそも》この萱生地は明治末期まで鬱蒼《うっそう》たる防潮林であったが年毎の風水害と海水の侵入とにより殆《ほとん》どの立木が枯死し全くの低湿萱生地と化したものである　そのため防潮林造成に当っては盛土植栽の外途《ほかみち》なく完成までには当局の絶えざる御努力と組合員の献身的な作業を必要としたのである　依《よ》ってこの経過を記録し組合員一致協力して保護育成に努めその目的を達成すべく茲《ここ》に組合員の総意により碑を建立し記念とするものである
昭和三十四年三月一日建之《これをたつ》

裏面に刻まれた名前の中に高梨さんの父、北釜共用林野組合で役員を務めていた武さんがいる。武さんは営林署の委嘱を受け、盆栽や門松にしようとやってくる松泥棒の監視もしていた。

海岸林は、防風や防砂、防潮に役立っていただけでなく、ガスが普及するまでは燃料の供給源だった。さらに、松林は地元に収入をもたらしてもいた。高梨武さんのような場合だけではない。女性は昼の農作業のあと、夜は自宅で葦簀《よしず》を編んだ。海岸の飛砂を防ぐ柵づくりである。「松子植え」と呼ばれた苗の植えつけもアルバイトだった。

碑文には、海岸のマツが枯れてしまったこと、地元の人たちの要望で、地元と営林署（現在の林野庁・森林管理署）が協力してつくり直したこと、湿地を松林にするために盛り土をしたこと、が記されている。海岸林の歴史は、戦後のこの時期に限らず、こうしたことの繰り返しだったのだろう。オイスカが考えた海岸林再生は、「被災農家を雇用し、その技術を生かして苗木を生産する」ことからスタートする。かつてあった海岸林と地元との濃い関係を再現しようとする試みでもあった。

ただ、「言うは易し」である。実際に苗をつくるのに何が必要なのか。人は、場所は、タネは、そして技術は……。やらなければならないことは山ほどあった。なにより、津波で失われたのは海岸林だけではない。海岸林の造成や保護で主役になってきた北釜集落の人々は、身近な人を亡くし、助かった人々も集落全体が津波で流され、住んでいた場所そのものを失っていたのである。

●広がる輪　林業界の大物も応援

苗木をつくる地元の人々の集まりが「名取市海岸林再生の会」。何者なのかをまったく知られていなかったオイスカの面々が5月以降しばしば名取を訪れ、呼応して現地にプロジェクトに対する理解や共感、さらには「一緒にやってやろう」という気運が少しずつ生まれてくるいきさつは、紹介してきたとおりだ。

「苗木をつくろう」という人の輪が北釜地区の被災農家から広がっていくのは、学校時代の同級生や師弟関係、そして町内会など近所づきあいを通してである。面積100ヘクタール、苗木50万本、資金10億円。その規模に最初は度肝を抜かれた人々も、やると決めたら多くの人を巻き込んで協力し合わないと大変だと考え、知り合いに声をかけて回った。

「再生の会」をつくるにあたって会長に就いたのは鈴木英二さん。地元中学の理科教師だったので教え子が多く、その後公民館長などをして顔が広かった。北釜に長く住み、オイスカのプロジェクトに最初から共感を示した人の一人だった。7月にオイスカが東京で開いたシンポジウムでも地元代表として登壇していた。「自然に私が会長をやるものと周りも思ったんですね。知らないうちに先頭に立たされていた」。生活や経済面が比較的安定していたことも含め、確かに周囲も「エンツァン（鈴木さん）以外にいねえべ」と納得していたようである。

鈴木さんは震災のあと半年間ほど、「名取市東部震災復興の会」の会長として復興カジノの誘致活動をしていた。東京まで行って国会議員に陳情活動もしたものの、当時は法律の裏づけもなく結局頓挫。いまとなっては「バラ色の詐欺話に踊らされただけ」と悔やむが、海岸林再生については、はじめて知ってからずっと「地元の生活再建に欠かせない地道で大切なプロジェクト」だととらえてきたと言う。

鈴木さんは駐車場を経営し、農家だったわけではない。「相談しながらみんなが動きやすいよう計らうのが自分の役割」という姿勢の会長のもとで、事務局長として実務一切を取り仕切ることになるのが、オイスカからプロジェクトを統括する立場に就くよう依頼されていた佐々木廣一さんである。廣一さんは林野庁出身、名取の人間でも被災農家でもないが、プロジェクトの技術的な面だけでなく再生の会の運営も担うことになった。

前に一度登場しているが、太田清蔵さんという宮城県林業界の大物がいる。当時、苗木生産業者でつくる宮城県農林種苗農業協同組合の組合長だった。90歳になったいまも現役の種苗家として研究・生産を続けている。「流された50キロメートルにわたる仙台湾の松林の1割を、地元の人たちが苗からつくって再生するという話を聞き、私たちも誇りに思いましたよ」。のっけには種苗生産に乗り出すというオイスカの計画に懐疑的だった宮城県や種苗業者、なかでも太田さんが応援してくれるようになって、被災農家の間でも苗木づくりは現実になっていく。

太田さんは県の種苗組合長を27年間、さらに種苗組合の全国組織の会長や県内の森林組合の会長もつとめた。廣一さんは青森営林局に勤めていた震災の20年前から、太田さんとは知り合いでもあった。

苗木にするタネは、すべて種苗組合を通じて組合員の苗木生産者に配られる仕組みになっている。「再生の会」も、メンバーが県の講習を受けて種苗組合に加盟する手続きをとった。太田さんはじめ種苗家が協力的だったことが、技術を身につけるうえでも役に立った。一方では、海岸林再生に必要な苗は、既存の業者だけでまかなえる数でもなかったのである。

第１育苗場に用意されたたい肥（2012年２月25日）

宮城県内の種苗家を視察。左端が太田清蔵さん（2011年９月29日）

９月には種苗家を訪ねてクロマツの苗畑などを視察。野菜が専門の被災農家の森清さんは「これなら自分たちにもできる」という感触を得る。11月には再生の会のための苗畑用地が見つかった。海からの距離は約1・4キロメートル。鈴木さんの教え子が持つ、津波をかぶった農地約0・6ヘクタールである。

種苗家視察の際に説明役だった太田さんは、苗畑用地でもアドバイスをした。土を口に含んで「酸っぱかったり苦かったりを確かめ、この程度の酸度はマツなら大丈夫だろうと話した」そうである。ただ、きわめて痩せた土壌だったので、その後の専門家の分析にもとづき、翌春の播種に間に合うよう冬の間に肥料をすき込んだ。

苗づくりに水は欠かせない。苗畑周辺に細い井戸を8本掘って調べると、5本は塩分が濃すぎた。比較的塩分濃度が低く使えそうな3本を残し、あとは埋め戻した。

以上が「第一育苗場」。オイスカの出先や再生の会の事務所のために使うプレハブも建てられ、後にはボランティア活動の拠点にもなる場所である。

一方、「北釜耕人会」という組織をつくって名取市内のずっと山側、高館地区に農地を借り、コマツナなどの葉物野菜づくりを再開していた高梨仁さん、櫻井重夫さん、森清さんの3家族は、第一育苗場は遠すぎるので近くにも苗畑がほしいと考えた。北釜は海岸に近く平らで土壌は砂質だが、高館は傾斜があり粘土質で水はけが悪い。勝手が違い、本業が試行錯誤のただ中にあった。

例えば畝《うね》のつくり方。傾斜と直角に平らになるようにしたら、「それじゃ水が流れないからダメだ」と、傾斜に沿ってつくるよう教えられた。そうした苦労の繰り返しだったので、マツの苗はつくりたいけれど、第一育苗場まで片道20分ほどの時間のロスをなくしたいと考えたのである。

この話に、目が届かないし、機材も二重に必要で効率も悪いと、廣一さんは乗り気でなかった。ただ、本業を犠牲にして苗づくりをする必要はないとも考えていたし、育苗で野菜に匹敵する収入があげられるわけでもない。第一育苗場は多少手狭でもあった。耕人会の強い求めで、苗づくりは2カ所で始まることになった。

ここで、オイスカと再生の会の関係に触れておこう。オイスカには海外の事業も含め「地元にやる気のないところでやってはいけない、という教えがあった」と吉田俊通海岸林担当部長は言う。だから名取でも地元を説得するために説明を尽くしたのだが、といっても再生の会は、オイスカの傘下にあるのではない。種苗と啓発普及についてオイスカと業務委託契約を結ぶ別の組織という位置づけなのである。

地元の人々が海岸林再生に主体的にかかわり、給与として成果の還元も受ける、オイスカはその活動を支援するという形になっているわけだ。メンバーは再生の会に雇用され、会から給与をもらう。その分、会には経理や労務などさまざまな仕事も必要になる。

再生の会の正式な設立は翌２０１２（平成24）年2月29日。オイスカが当初から目指していた震災の翌年に苗木生産を始める計画は、予定通りスタートすることになった。会員はざっと30人。人が集まれば、時にぶつかり合いがあり、不満も出る。仲良しグループでもない限りあたりまえで、再生の会もそうした組織の宿命と無縁ではなかった。それはあとに書くことにして、苗づくりの動きを追うことにする。

●種まき　プレハブに響く祝い唄

マツのタネには、松くい虫に抵抗性のあるものとそうでない普通種とがある。松くい虫については巻末で詳しく解説するが、被害は温暖化の影響もあって南から北に広がり、東北北部に達している。日本三景の一つに数えられる松島では絶景をつくっているアカマツが松くい虫にやられた。どこであっても下手をすれば全滅に近い被害を受けるという不安を、松林にかかわる人々はつねに抱えている。

抵抗性クロマツのタネ。500g
で2万2500粒ほどになる

種苗組合の太田組合長（左）から、再生
の会の櫻井重夫副会長にクロマツのタ
ネが渡された（2012年3月9日）

抵抗性のタネは、基本的には松くい虫に感染させても枯れなかった木を育て、それを何世代か繰り返してとる。そのタネから育ったマツは松くい虫に絶対「やられない」とはいえなくても「やられにくい」とはみなされている。

だから抵抗性がいいに決まっている。しかし、震災後の需要の爆発でタネは不足し、初年度に種苗組合から再生の会に割り当てられた抵抗性は５００グラム約２万５千粒。必要な量の約４分の１で、あとは普通種だった。

ただ、この普通種は精英樹と呼ばれる特別育ちのいい母樹からとったタネだった。播種の２年後の２０１４（平成26）年に海岸に植えつけてからすごい速さで成長し、20年には４〜５メートルにまでなった若木は、このタネの８年後の姿である。この木はプロジェクトの勢いを示すシンボルになっているが、一方で松くい虫被害の懸念はより深刻に抱えていることになる。

土壌の改良や防風用ネットの設置、畝づくりなど育苗場の準備が整い、ベテラン種苗家の知恵も借りながら、第一育苗

このタネが高さ 6〜7 mにまで成長している（2012 年 3 月 30 日）

播種を前に酒を供え成功を祈念する（2012 年 3 月 30 日）

場ではじめての種まきが行われたのは3月30日。太田さんからは3月中に播種するようアドバイスがあった。タネはあらかじめ3日間水につけ、廣一さんのアイデアでベビーパウダーをまぶした。まいたあともよく見えるようにという工夫である。そうでないとマツのタネは畑の土の色に紛れ、すでにまいたのかどうかがわからなくなってしまう。小さな、だが大切な工夫だった。

苗畑に日本酒を供えて成功を祈り合ったあと、タネは1メートル四方に７００粒ずつ、畑にじかにまいていく。コンテナといわれる容器の中にまくようになって大幅に手間がかからなくなるのは次の年からだ。初回の苗づくりは、1年後に植え替えて1メートル四方の数を70本に減らし、その翌年に海岸に植えつける段取りだったから、植え替えのための畑の広さも人手も必要だった。

播種のあと、水をまき、乾燥と寒さを防ぐために菰《こも》をかけ、さらに寒冷紗《かんれいしゃ》で覆う（次ページ写真）。午後3時ごろ、一連の共同作業を終えた再生の会のメンバーがプレハブの事務所で車座になった。酒席である。農村では、田植えが終わった、稲刈りが終わったなどなど、区切り区切りには酒盛りがつきものだった。しかし、

プレハブの事務所に祝い唄が響く。左端が櫻井勝征さん（2012 年 3 月 30 日）

津波はその風習も流し去ってしまっていた。前年9月30日のトンちゃん。そしてこの日。久しぶりだった。

震災から1年余り。久しぶりに高揚感があった。「1曲、いいんでねえすかや。『たわらづみ』聞きたいねえ」。そんな声に押されて、高梨さんが「南部俵積み唄」を、続いてやはり北釜に住んでいた櫻井勝征《かつゆき》さん(68)が「さんさ時雨《しぐれ》」を歌う。いずれもおめでたい席の祝い唄。二人の十八番《おはこ》も震災後は聞くことがなかった。集った顔に涙がこぼれた。人の輪、人の心は海岸林より早く再生されつつあった。

ところが、その後2週間ほどで発芽するはずが、いつまでも芽が出ない。タネが腐ったか。最初の年から失敗か。不安が廣一さんら再生の会を襲った。はじめての発芽確認は4月28日。播種から29日後である。後《のち》に、第一育苗場は太田さんの苗畑と気象条件が異なり地温のあがり方が遅いことがわかった。翌年に播種を1カ月ほど遅らせると、予定通りの日数で発芽した。

頭に殻をつけて出てきた芽は、やがて殻を捨て去り、葉を横に広げていく。被災農家の人々もクロマツの赤ちゃんは見たことがない。「眼を瞠《みは》って」うまいことを言う人がいた。

「みんなで万歳しているみたいだ」

一度芽を出すと、クロマツは順調に成長した
(2012年5〜6月)

第11章　確執を越えいい苗づくりを

「苗半作《なえはんさく》」という言葉がある。苗のよしあしで作柄が半ば決まるという意味で、稲作など農業の場で使われてきたようだが、これはおそらく農業にかぎった話ではない。いい苗は林業の世界でも大切であり、どんな海岸林に育っていくのか、ゆくえを左右するポイントなのである。

「名取市海岸林再生の会」がクロマツの苗づくりを始めたのが東日本大震災の翌年、２０１２（平成24）年春。５年後の２０１７（平成29）年には、生産した苗が宮城県内の「山林苗畑品評会」で最優秀賞を受賞し、全国レベルのコンクールでも農林水産大臣賞に次ぐ林野庁長官賞を受けた。再生の会のプレハブの事務所には賞状が誇らしげに並んでいる。

苗づくりを指揮したのは林野庁のＯＢで再生の会の事務局長を務める佐々木廣一さん。海岸での植えつけを担当するベテランの職人が「いい苗だねえ」と褒めてくれたことがとりわけうれしかった。「彼らはお世辞言う必要はないんだからね」

佐々木さんは作業の工程を考えて再生の会の会員に仕事を指示、技術を指導することはもちろん、給与の支払い、経理、記録その他の事務作業も一手にこなした。オイスカが掲げた「被

トラクターで苗畑の整地を手伝う
秋山キナさん（2012 年 3 月 1 日）

再生の会の苗（右）はズングリ型
（2018 年 10 月 7 日）。ひょろっ
とした苗（2016 年 11 月 25 日、
福島県内で）との違いは一目瞭然

災農家を雇用し、その技術を生かして苗木づくりをする」というプランを実践するのがどんなに大変か、佐々木さんを見ているとよくわかる。

会員の時給は、近隣の相場より少し高めに設定し、しかも仕事の強弱によって三段階に分けた。作業中の事故にはとりわけ気を遣う。労災が起きればプロジェクト自体が頓《とん》挫《ざ》しかねないからである。税務対策も必要だ。あと払いでオイスカから支払われる経費の穴を埋めて当座の運転資金をつくるため、百万円単位を自分で立て替えたこともあった。

佐々木さんのベースには、40年あまりの林野庁勤務がある。現場だけでなく労務管理なども担当したことで得た経験と誇り、それが再生の会の運営に反映している。筑波大学の学生だった秋山キナさん(20)は、震災の翌年にオイスカのインターンとして名取に住み込み、半年あまり佐々木さんを手伝った。指示を受け、教えてもらいながら、事務所の備品を買ったり、電話やインターネット整備の手続き、

宮城県内の種苗業者を招いてアドバイスを受ける佐々木廣一さん（左）（2012年10月23日）

給与計算などをしたりしたが、その細かい仕事ぶりに驚いたという。

今日はっきりしているのは、佐々木さんがいたからこそプロジェクトはうまく進んできたということだ。そのことを否定する人に会ったことはない。私自身、震災の年にたまたま定年を迎えた佐々木さんという「経営者の顔と技術者の顔を併せ持つ」人を得たことが、このプロジェクト最大の幸運だった、と考えている。

●「農家の技術を生かす」という難しさ

しかし、だからといって再生の会が順風満帆にここまで歩んできたわけではない。初期の段階ではAさんの「離脱」があった。震災で父と兄を亡くした彼が、東京のオイスカ本部を訪れ、故郷の松林再生を懇願したことがオイスカと名取とのはじめての接点だったことはすでに書いた。Aさんはその後も、故郷の恩師や同級生を通じてオイスカと名取を結びつける役割を果たした。そのころの写真の多くに彼の姿がある。「なぜ名取がプロジェクトの地に選ばれたのか」と聞かれれば、Aさんに触れずに答えることはできない。逆にいえば、Aさん

コンテナの中に生えた雑草取り（2015年10月6日）

種まきは簡単なようで難しい（2017年4月27日）

苗づくりはコンテナへの土詰めから始まる（2014年4月4日）

と一人のオイスカ職員が旧知の仲でなかったら、名取の地がプロジェクトの舞台に定まることはなかった可能性が高いのである。

いまAさんには連絡が取れないので確かなことはわからない。だから一方的な書き方になってしまうかもしれないのだが、かつて故郷で金銭トラブルを抱えたこと、このプロジェクトも私利につなげようとする動きが認められたこと、などから、震災のあった2011（平成23）年末にオイスカの側から関係を断つよう求めたのだという。ただ、どうであれ彼が最初に果たした役割を無視することはできない。

「被災農家を雇用してその技術を生かす」。そんな基本方針にも難しさがひそんでいた。

再生の会の会員は、専業農家ではない人も、兼業農家だったり実家が農家だったりで、ほとんどの人に農業体験がある。種まき一つとっても、コンテナポットの中にゴマ粒ほどのタネを一粒ずつ落としていくのは見た目ほど簡単ではない。濡れた指にタネがくっついてしまって落ちなかったり、2粒3粒まとめて落ちてしまったり。被災農家の人と隣同士で作業をすると、農業とはまったく無縁だった自分が情けなくなるくらいお隣は手際《てぎわ》がいい。農機の運転も、水まきも、寒さよ

休憩のひとときۡ雑談も大きな楽しみだという（2014年4月29日）

育てた苗を束ねて出荷する（2017年4月17日）

水遣りは手入れの基本だ（2019年1月30日）

け、風よけの覆いを畑にかぶせるのも堂に入ったものだ。ただ、クロマツの苗を育てた経験はだれにもなかった。

クロマツの育苗サイクルは春の種まきに始まり、２年後の春の出荷で終わる。最初の年、２０１２（平成24）年は、畑に直接タネをまいた。２０１４（平成26）年にすべてコンテナポットを使うようになって、途中の植え替え（床替え）の必要はなくなり、手間は大幅に軽くなった。それでも、ピークには１年に10万粒のタネをまいた。施肥、水遣り、雑草取り、根の管理、防寒など日々の地道な作業がいい苗づくりには欠かせない。

佐々木さんも林野庁時代、苗づくりには直接携わっていなかった。しかし、苗畑を間近に見ていて、種苗家の知り合いもいた。作業が始まると、宮城県内の先輩育苗業者に電話や実地でアドバイスを受けた。畑の畝《うね》のつくり方に始まって、上にひょろひょろ伸びずに太くがっちりさせるための肥料のやりかた、寒さや乾燥を防ぐための菰《こも》の使い方など、細部にわたって教えを乞うた。コンテナを使った育苗は新しい技術なので、種苗業者に向けた研修会にも会員とともに出席した。

「人それぞれやりかたは違うから、こちらも工夫しなければならない。まねだけじゃだめで、こちらの現場に合うかどうかの研究も必要なんですよ」と佐々木さんは言う。先輩業者たちが長年の間につちかった勘や感覚で造作《ぞうさ》なくできることも、経験がなければひとつひとつ確かめながらやらねばならない。種まきの時期一つとっても難しいのは、書いた通りである。

そんななか、農家の人々との意見の違いも出てくる。たとえば、農家の人が「農薬を説明書通りに薄めると野菜には効き目がない。虫も死なないから、1000倍と書いてあるけど700倍か500倍ぐらいに少し濃くして使った方がいい」と提案すると、佐々木さんは「マツの苗は野菜よりずっと弱い。薬害をおこすので説明書の通りにやってほしい」と応じる。つまりは、野菜とマツは同じか同じでないかという話になっていく。

佐々木さんは自分の指示通りに作業を進めるよう求めた。結果を出すことにこだわったからである。それが林野庁OBとしての自分の役割であり、寄付をしてくれる人への責任だとも考えた。苗の手入れのよしあしが先々にまで影響し、結果がすっかりわかるのは「俺たちが死んだあと」、だからこそしっかりやるんだというふうにも思った。

もう一つ、雇う側と雇われる側の関係にもこだわった。面倒なことでも時間をかけてきちんとこなしてくれれば、その分の給与は払うのだから手を抜かないでほしい、といったことである。

一方、農家の人には「一人親方」気質《かたぎ》がある。ずっと自らの発想、工夫、それに勘も生かした仕事をしてきたのだから、今回だってその経験や技術を生かせると考えた。そう考えてあたりまえである。やりたいようにやらせてほしい――それが、佐々木さんに使われる形になった。その公務員流の仕事の進め方への反発がないとは言えなかった。お互い真剣だからこそぶつかるという面と我を張るという面と、両方があったのだと思う。

会員にもさまざまな立場の人がいる。それによって支払われる給与の意味も変わってくる。会社勤めを経験してもう年金で生活している人には、お小遣い以上のものになる。しかし、専業農家が本業の建て直しを後回しにして苗木づくりに専念できるほどの額ではないし、一生携わっていける永続的な収入が保証されているわけでもない。農家の人々が震災で失われた自分の仕事の再建を急ぐのは当然である。

そういった人々がクロマツの苗づくりに手がかけられなくなっていく、ということも起きてきた。最初は苗畑を2カ所につくったが、第二育苗場を2年後に閉じたのにも、そんな事情がからんでいた。「被災農家を雇用し、その技術を生かして苗木づくりをする」というキャッチフレーズ通りには必ずしも事が運ばなくなってきたのである。

インターンだった秋山さんは群馬県の農家の出身。手伝っていた佐々木さんの仕事ぶりに細かさだけを見たわけではない。勤務時間のつけ方などには、会員への気遣いも感じていた。

一方では、農家の人たちに呼ばれて畑作業を手伝ったり、食事をご馳走になったりしていたし、合間には再生の会の鈴木英二会長が経営する駐車場でアルバイトもしていた。

「自分の中では地元の人たちにどこまで入りこめるかがインターンのテーマでした。楽しかったです。ぎくしゃくしたことも含めて、人間関係が印象に残っている。佐々木さんにも農家の人にもプロ意識がありましたけど、確かに佐々木さんのやり方に堅苦しさを感じている人もいました」。会社員になったいま、そう振り返っている。

●「国家公務員」と「青空公務員」

再生の会には、大きく分けて二つの地域の人々が参加している。津波で流された松林に近い北釜集落出身の人々と、数キロメートル内陸に入った地域の人々。内陸の人たちが参加するきっかけをつくったのは杉ケ袋北地区の大友英雄さん。震災の年の9月、オイスカの説明を疑うムードが支配していた地元の集まりで、「いいことなんだろ。俺はやるよ」と声をあげ、場の空気を変えた人だ。彼は近所の人や町内会の役員仲間を数多く再生の会に誘い入れた。専業農家で、第一育苗場の班長として苗づくりでも中心的な役割を果たした。

その大友さんが2015(平成27)年に再生の会を去った。その後、ゆっくり話を聞く機会があったのだが、佐々木さんとの食い違いを「向こうは国家公務員、こっちは青空公務員だね」と言った。国に仕える身と自然に仕える身、その経歴の差とでも言い換えればいいのだろうか。

再生の会がつくった苗を海岸に植える作業は、2014(平成26)年に始まった。植林も含めてプロジェクト全体を指揮する佐々木さんは、植えつけ作業のほとんどをプロの職人に発注した。苗だけでなく植え方もマツの将来の成長を大きく左右する。限られた適期に約8万本を植えるという膨大な作業量も考えると、結果を出すためにはプロの力が必要だったからである。その間の一日だけ、名取市民ら350人を招いて植えつけをしてもらう植樹祭を開いたが、事前の指導だけでなく植えつけ後のプロのチェックも徹底した。

大友さんには、自分たちが苗づくりだけでなく、植林もしてこそ地元が主役の「海岸林再生」だという気持ちがあった。そう言って周囲の人たちを再生の会に誘ってもいた。しかし、プロの植えつけの際も植樹祭の時も、再生の会は育苗場で苗を抜いて束ね、海岸の植栽地に運ぶ「出荷」を担当した。裏方に終始し、苗を植える機会はほとんどなかった。「ここは再生の会がつくった松林だ」という場所はできなかった。大友さんが辞めた理由は、そのことが大きかった。

実際に経験のある人はわかるだろう。木を植える作業は楽しいものである。規模の大小にかかわらず、市民が植林のプロジェクトにかかわる時にまずイメージするのも、木を植える作業そのものだ。植わった苗に植えた人の名札がついている、という光景もよくみかける。わが子のように木に感情移入をし、その成長を見守っていくという「物語」づくりを考える人もいるだろう。

大友さんはこうした「物語」を求めたのではない。しかし、「一部であっても地元で育てた苗を地元の人たちで植えれば、愛着がわき、子や孫にいい海岸林を引きつぐことにもなる」と思っていた。そのための提案もいくつかした。しかし、実際には植えつけにおける再生の会や地元の人たちの存在が、考えていたよりも小さかったのである。

佐々木さんと大友さん、どちらの考えも理解できるしどちらにも共感する。ともに一生懸命取り組んだからこその衝突だったともいえる。しかし、プロジェクトのリーダーは佐々木さんである。１００ヘクタールに50万本の苗を植えるという計画を国の向こうを張って実現しようというとき、頑固な佐々木さんの存在は不可欠だったと思うのである。使われる側の大友さんは従えなければ退くしかなかった。

まとめ役を失い、杉ケ袋北などの人たちは動揺した。その動揺を収めるのに一役買ったのは、大友さんに誘われて再生の会に入った小中学校の同級生、同じ姓の大友淑子《しゅくこ》さん（62）である。「英雄ちゃんのあと、ほんとはもっと辞める人増えてたんですよ。で、言ったの。『せっかく立ち上げて2、3年で辞めてどうすんの。杉北（杉ケ袋北地区）が笑われるんだよ。私は残るよ』ってね」。淑子さんは、そのあと親しい英雄さん夫婦を訪ね、「私は辞めません。でも今後ともいままで通りのお付き合いをお願いします」と頼んだという。

英雄さんも仲間を引き連れて辞めるような意趣返しをする性格ではないことは、話していればよくわかる。結局、英雄さん夫婦ともう1組、あわせて4人が退会したが、このときのわだかまりは、英雄さんの話からも淑子さんの話からも感じられない。英雄さんと会ったとき、自宅の水槽にはいまも再生の会で働く友人と出かけて釣り上げたというウナギが泳いでいた。

ところで、淑子さんは2014(平成26)年の最初の植えつけのとき、出荷の仕事の合間を縫って、目印がある絶対忘れない場所に「1本だけ」自分で苗を植えたのだという。「ばあちゃんが植えたマツ」の成長をおりおり孫と見にくるためだという。そういう「機転」が利く人でもあった。

マツとは無関係の余談だが、淑子さんの思い出を一つ紹介しておこう。会社勤めを始めてすぐの二十歳前、研修のため神奈川県川崎に1カ月半ほど滞在したことがあった。地元と違って、いつもどんより天気が悪く、仲間みんなで毎日傘を持って歩いた。それが、週末に晴れてくる。仲間と「ここは土曜日になると晴れるんだよねえ」と言い合ったことが忘れられないという。「スモッグ」とか「大気汚染」とか、そういうことを淑子さんも仲間も知らなかった。50年以上前の話である。

● 仲よしの会話は震災の記憶へ

「再生の会はオイスカの下請けではない」。これが佐々木さんの口癖だ。苗づくりと啓発普及について、オイスカの委託を受けて活動する別団体だという話は書いたが、啓発普及に少し触れておこう。啓発普及とは言ってみれば広報、PRである。「地元の人が主役のプロジェクト

2015. 1. 3

春秋

「がおる」と「おがる」。東北でよく使うという方言を、宮城県名取市で海岸の松林をよみがえらせようと活動する人たちに聞いた。がおるはしおれる、おがるは逆に、大きく成長するという意味だ。ふたつの言葉を行ったり来たり、一喜一憂する日々がことしも続く。

▼松林まで行政の手は回らない。人々は震災の翌年、クロマツの種をまいて苗をつくることから始めた。苗は昨年春、はじめて浜辺に植林され今は寒さに耐えている。水はけや養分、防風柵の具合など少しの差で成長が違う。去年は大敵の「蔵王颪《おろし》」が少なく雨は適量だった。運にも恵まれ幼い松は予想以上に元気だという。

▼地元の「海岸林再生の会」を非政府組織が支援する植林は7年がかり。せいぜい50㌢ほどの松が「湿気《しけ》っぽしい潮風」から生活を守るまでには30年、50年かかる。ボランティアの力も借り、手作業を積み重ねていくしかない。雑草ひとつがときに砂が飛ぶのを防いだりする。だから、潔癖に抜けばいいわけでもないらしい。

▼震災前の忙しさに戻ったという農家がある。まだ浜辺に近づけないという人もいる。それでも、一度はばらばらで話し相手もなくなった人たちが松林再生を目指してまた集い、語らっている。震災から5年めの年が明けた。言葉の使い方が正しいかどうか分からないのだが、松も人も地域も、一層おがることを祈っている。

2015年1月3日付「春秋」

なんだ」と広くアピールしていくことは、とくに震災からの復興の場合、とても大切なことだ。

「地元」は、メディアが取り上げる際のキーワードにもなる。私が記者時代の２０１５（平成27）年正月に書いた原稿も、地元の人の話が聞きたくて大友英雄さんの自宅を訪ね、何人かとおしゃべりした中身をもとにしたものだ。

取材への対応だけではない。再生の会の人たちは東京などに出向いての作業の紹介、宮城県庁や名取市役所の訪問などもこなしてきた。「みんなの力で地域を守っていく」――そうしたメッセージが寄付集めにもつながることは、会員みんなも理解している。しかし、普段の生活とはかけ離れた慣れないことが多く、「宣伝に使われるピエロみたいな気がした」という声も聞いた。そう言う人も、「海岸林のためだろ。喜んでやってた。それだって重要なパーツだってわかってたしね」と続ける。ピエロの役どころを心得たうえでのピエロであった。

再生の会の仕事は、時に応じて会員に割り振られる。種ま

植樹祭参加者から寄付を集める（2016年5月21日）

企業で体験を語る大友淑子さん（2015年10月27日、東京で）

メディアの取材に応じる（2019年7月20日）

名取市文化会館で行われた活動報告会では受付を担当（2014年2月22日）

きなど総出の人手が必要なときもあれば、明日しなければならない仕事がたとえば10しかないときもある。これを10人に1ずつ頼んだのでは、一人の仕事量が少なく労賃もわずかにしかならない。5人に2ずつ依頼することにする。では5人をどう決めるか。よく来る人から声をかけるか。最近来られない人を優先するか——。

組織というのは、そうしたこと一つひとつに問題をはらんでいるものだ。そこに「好き嫌い」などの私情が見えてしまうと、メンバーの気持ちが離れていくことにもなる。お金がからむだけに、再生の会もそうした問題と無縁ではなく、トラブルが表に出たこともあった。しかし、結果として品質の高い苗をつくり、プロジェクトに貢献した。佐々木さんが決めたこまごまとした育苗の過程がきちんと守られ、手がかかっていることは生産された苗を見ればだれにでも見てとれる。

初夏、発芽から1年あまりたった苗が「やわい」新芽を伸ばして風にそよそよ一斉に揺れている。その光景を思い出して「あれはきれいだったなあ」（淑子さん）と感慨にふけることができるのも、苗を見続けてきた人々ならではだろう。

2020（令和2）年3月のある日、育苗場では再生の会の4人が種まきの準備をしていた。淑子さんのほかに菊地義巳さん（68）、洞口《ほらぐち》勇次さん（65）、川島信子さん（61）。震災前に杉北に住んでいた、いま一番の仲よし4人組だという。それぞれが避難所や仮設住宅での生活を体験、いまは住まいも落ち着いたが、昔の暮らしが戻ったわけではない。新しい環境の中、周囲に気も遣う。だからここが楽しい、生きがいにもなっている、と口をそろえる。

「普通なら傷つくようなこと平気で言って、聴く方もスーッて流してるからね」「うちにいたって笑うことあんまりないもの」「ここが張り合いだよな」「羽のばしてるよね」「ここまで言っても大丈夫、この人にこれ以上言ったらまずいってことはわかってるし」

再生の会の事務を担当する菅野元子さん（50）もまじえた雑談のなかに入ると、話題は尽きない。そして、震災の記憶になった。

津波を見た人は「本当に真っ黒だったこと」が忘れられない。淑子さんは自宅の2階から見えていた津波の先端から走って逃げていく青い服の男性が忘れられない。ちょっと目を離すと

育苗場の事務所で歓談する大友淑子さん、洞口勇次さん、菊地義巳さん、川島信子さん、菅野元子さん（左から、2020年3月19日）

次の瞬間には姿がなかったから。元子さんは勤めていた空港近くのビルの屋上に逃げた。150人ほどが津波を見ながらシーンとしたままで口を全くきかなかった、その静けさ、怖さが忘れられない。信子さんは平屋の自宅でテーブルの上に椅子を乗せて上がり、「おばあちゃん（義母）と二人で水が上がってくるのを見ていた」ことが忘れられない。

義巳さんは二度津波に流され、砂まじりの泥水を飲んだが、桃の木と松の木に二度しがみついて助かった。「ちゃっこい（小さい）とき、親が、川を渡る時はまっすぐ泳いだって行かれねえんだから流されるように行け、って言ってたのを思い出した」ことで、救われたという。「義巳さん、よう助かったなあ」と勇次さん。「息子は『親父は死んだわと思った』と言っていた」と義巳さんは答えた。

自宅の回りの地形、逃げるタイミング、方角、ちょっとしたことが生死を分けたこと、それでここにいることを、みんな知っている。忘れようとして忘れられることではないが、それでも時折笑い声が聞こえるのは、やはり震災から9年の年月がたったからだろう。

再生の会で支払われる賃金を積み立てて行く男女6人の旅行会も

生まれた。八甲田、恐山、桧枝岐《ひのえまた》、那須……、年に2、3回出かけた旅先が口をついて楽しそうに出てくる。「たわいもないこと言って、そんなかにちょっとスケベな話がまじったりしてさ。面白いんだよね」

このときは、春に予定していた宮城県南三陸町への一泊旅行を新型コロナウイルスのため中止にすることが決まったところ。残念そうだった。

第12章　あらためて「なぜマツなのか」

「名取市海岸林再生の会」がスタートした2012（平成24）年2月、何度か前に触れた「今後における海岸防災林の再生について」という報告書が発表された。東日本大震災で大きな被害を受けた東北、関東地方の海岸林をより災害に強いものにつくり直すためにはどうすればいいか、林野庁の委嘱を受けた専門家（座長は太田猛彦・東京大学名誉教授）がまとめたものである。

日本は海に囲まれ、そして地震が多発する。「南海トラフ地震など予想される大地震の際にも、多重防御の一つとして海岸林を防災・減災に役立てる」（太田座長）ということも、報告の目的だった。いわば海岸林に関する基本的な教科書、マニュアルをめざした報告には、海岸林の役割や津波に対する効果が次ページの表のように整理されている。

報告をまとめるために7人の専門家が集まる会合は、一般に公開されていた。それを知って、震災の2カ月半後、2011（平成23）年5月21日に宮城県庁で開かれた第1回から5回全部を傍聴したのが、オイスカの吉田俊通さんである。「まだ行政の仕組みもよく知らなかったし、こっちが何も知らなければ行政は相手にしてくれない」。毎回、始まる1時間半前に行って資料

海岸防災林の役割と津波に対する効果

（報告書「今後における海岸防災林の再生について」／林野庁より）

① 保安林としての役割

飛砂防備保安林	風を防いで飛砂の発生を防止、砂を捕捉、堆積させて内陸部に侵入するのを防ぐ
防風保安林	風速を弱め、暴風、塩風などを防ぎ、沿岸地域の植物などへの悪影響を防止・軽減
潮害防備保安林	浸入する波のエネルギーを抑え、津波、高潮の被害を軽減。強風時の空気中の塩の粒子を捕捉して塩害、潮風害を防止
防霧保安林	霧の移動を防ぎ、霧粒子を捕捉することで内陸部の生活環境を改善

② 津波に対する効果と事例

津波のエネルギーを減衰する効果	昭和三陸津波（1933年）の際、岩手県陸前高田市の高田松原で、密な林の中の家屋は床下浸水程度で大きな被害はなかったが、展望をよくする目的で海側の林を切り開いた個所の家屋は跡形もなく全壊した。
漂流物の移動を阻止する効果	南海地震（1946年）の際、和歌山県広川町のクロマツ林が150トンの木造船の移動を阻み、後方の中学校を被害から守った。
強風による砂丘移動を防ぎ 海岸に高い地形を保つ効果	日本海中部地震（1983年）の際、10メートル前後の津波に襲われた秋田県の海岸線で、防潮林に覆われた高さ10メートルほどの砂丘の背後にあった集落が津波の直撃をまぬがれた。
人のすがりつき、ひっかかり効果	波にさらわれた人がマツの木につかまったりたまたまひっかかったりすることで、命が助かる例が報告された。

をもらい、それを読んで会議を聞いたという。

たとえば、「地下水位が高いためにクロマツの根が十分に下に伸びず、津波で根からひっくり返される『根返り』が起きた。盛り土をしてから植えつける必要がある」という意見が会議で出る。すでに視察していた宮城県でも、その意見を裏づけるように「根返り」がみつかる一方、1メートルほどであっても高いところに植わっていたマツが無事だったことも、実際に見てわかっていた。会議の内容は実感をもって理解でき、寄付やボランティア集めのための説明にも、説得力が加わった。

会議に出席した専門家と知り合ったことも、吉田さんとプロジェクトの財産になった。中でも、それまで直接面識のなかった太田座長はプロジェクトを高く評価し、応援を惜しまなかった。シンポジウムに出席したり、現場をたびたび訪ねたり、折に触れて各地でプロジェクトの意義を語ったり。名取市の仮設住宅に出向き、集会所で被災者に防災林の役割を説いたこともあった。

根返りには至らなかったが倒れてしまうマツもあった

根返りを起こして倒れ、放置されたクロマツ（2018 年 1 月、青森県三沢市、左も）

報告書は海岸に植える木の種類について、潮風や砂粒、乾燥にさらされ環境が厳しい海側の最前線にはクロマツやアカマツ、さらには広葉樹としてカシワ、トベラを挙げ、海岸林全体としては、「自然条件や地域のニーズ、生物多様性の保全など植栽地の状況を見極めつつ、タブノキ、コナラなどの広葉樹についても考慮」するよう求めている。

これを受け、宮城県農林水産部が県内の海岸に適した樹種を検討した。クロマツが最もふさわしいとしているのはわかるとして、検討会の報告に名前が挙がっていた常緑広葉樹のトベラやタブノキを「避けるべき」としていることが目を引く。

河野裕農林水産部次長（当時、58）は、「（海岸林に、マツではなく）タブノキ等の高木性常緑広葉樹を推す声があるが、仙台湾岸の砂浜では現在も分布しておらず、土地や気候の条件を考えると、こうした樹種を成林させることは相当な困難が予想される」と指摘。震災の年の7月に仙台湾に植えられたタブノキが、翌年3月にはほとんど枯れていたことを報告している。「相当な困難」。これは行政用語では「無理」と言っているに等しい。「困難だけれどやればできる」という趣旨ではないのである。

●マツでなければいけない理由

「タブノキ等を推す声」。これは宮脇昭・横浜国立大学名誉教授らの動きを指している。前に書いたように、津波に耐え切れず倒れたクロマツが内陸に流され、防災の役目を果たさずにむしろ建物などを襲う凶器になった、として、マツでなく常緑広葉樹を主体とした海岸林をつくるよう主張した運動である。

この運動は細川護熙元首相ら政治家や企業なども巻きこんで広がり、宮城県でも県議59人全員が震災の翌年、「宮脇方式」と呼ばれるこのやり方を支持して超党派の「推進議員連盟」をつくった。一時はそれほど勢いがあったのである。県農林水産部の指摘は、「宮脇方式」への反論と読める。河野さんはさらにコストも比べ、国の方針にもとづいてクロマツを1ヘクタールあたり5000本植えるのにかかる直接的な費用が190万円なのに対し、タブノキを1ヘクタールに3万本植える宮脇方式は9倍近い1670万円かかるとはじき出した。

いま名取の海岸は、内陸側に少し広葉樹があるものの、植えている苗のほとんどがクロマツで、それはクロマツが最適だという考えにもとづいている。ただ、長い間あたりまえだと思われてきた「海岸にはマツ」という常識が、震災で揺さぶられたのも事実である。私などは「江戸時代からの歴史の中で、ほかに適した木があればその海岸林があるはず。マツ以外はすべて失敗したのだろう」と簡単に考えていたが、マツが最適だと主張する側の人々は、その根拠をあらためて整理し「宮脇方式」への反証をあげることに多くのエネルギーを費やした。

そのことで、結果的にマツへの信頼や強い松林をつくることへの意識も高まったのだということもできる。反証のまとめともいえるものを、独立行政法人森林総合研究所の中村克典さん

中村克典さん

(47)が書いている(「國立公園」誌731号、2015年)。専門家の反省の念など「心」の部分も読み取れて興味深い。

それによれば、マツを海岸に植えてきたのは、「厳しい海浜環境に耐えて、早く高く育ち、葉を密につけて冬も枯れることがない」という海岸防災林にふさわしい特性を見極めた先人たちだった。しかし、今回の震災で「我々は海岸マツ林の防災効果に対する期待が過剰であったことを最も無残な形で思い知らされることになった」。さらに中村さんは「実際の被害状況を見ても、今回の津波に対し海岸林や防潮堤が十分な防災効果を発揮したと言うことはできない」「研究者としてマツ林の防潮効果を不用意に強調しすぎていた」とも書いている。痛烈な反省である。

その一方で、「千年に一度と言われる巨大津波に抗しえなかったからといって、それまで営々と海辺の生活を守り続けてきた海岸林の恩恵を忘れ去ってしまうのは冷淡に過ぎないだろうか」として、名指しはしていないが、宮脇方式の主なポイントを挙げ、それに反論するかたちでマツの役割を見直している。何点かをピックアップする。各番号のあとの冒頭が宮脇方式の考え方である。

① 単一樹種の一斉植林は災害に弱い

一般論としては正しく、マツの場合は松くい虫被害の恐れもある。しかし海岸でなるべく早く防災機能を果たす森林をつくる方法として確立されているのはクロマツの一斉植林以外にない。広葉樹に関する技術は今後の検討課題である。

②海岸林で被害に遭っていたのはマツばかりだった

マツが主体だった海岸林が被災すれば、倒された木や流された木がマツばかりなのは当たり前。前線部のマツと対比させる形で、内陸側で生き残った広葉樹の優位を説くような論法は妥当性を欠く。

③マツは針葉樹で根が浅い

クロマツやアカマツは典型的な「深根性」の樹種であり、「浅根性」とするのは明らかな誤解。ただ、地下水位が高い場所では根が深く伸びることができなかった。そのような場所であればマツであれ広葉樹であれ、根は浅くなる。

④マツは海水への耐性が弱い

震災前から弱っていたマツや海水が長くたまっていた場所のマツは枯れたが、しっかり育ったクロマツの成木は多くの場合、被災後も生きている。ひとくくりに「海水に弱い」とするのは誤り。樹木の中にはクロマツより強い耐塩性を示すものがあるが、海岸林としての特性は耐塩性のみにもとづいて論じられるものではない。

という具合である。私なりにまとめれば、クロマツの海岸林はもとより防災の万能選手ではない。しかし、現在の技術水準や他の木との比較などさまざまな条件を考えれば、現状でクロマツにまさる選択肢はないということだろう。中村さんは触れていないが、先に書いた宮脇方式のコストも無視はできない。

結果として、こうした考え方にもとづき、青森県から千葉県まで、津波の被害を受けたほとんどの海岸で再びクロマツが植えられている。「津波で流されたのに、なぜまたクロマツなのか」への答えをきちんと用意しておくことも、海岸林再生の意義を正しく理解してもらうためには欠かせないことである。

一つ付け加えれば、ここで取り上げた宮脇方式の是非をめぐる話は海岸の防災林についてであって、震災後とくに各地の沿岸部にできている公園は別の問題である。宮脇名誉教授らの指導でつくられている公園もあるが、その評価は別として、海岸防災林の造成とはまったく別の発想で植えられて構わないのである。

●広大な植栽地に職人が散って

プロジェクトに話を戻すと、震災からちょうど1年、2012(平成24)年3月11日に長谷川閑史代表幹事(当時)はじめ、経済同友会の65人がプロジェクトの現場を訪れた。前年10月のB

787を使った視察旅行に同友会から2名参加したのがきっかけで、震災1年当日の視察場所に名取が選ばれた。まだはじめての種まきも行われる前だが、プロジェクトを経済界に知らしめる推進力になった。

2014(平成26)年春の植えつけに向け、一方では苗を育てる作業が続いた。2012年、最初の年は畑にじかにタネをまいた。1年後に植え替える床替えという作業をして、またもう1年育てるという手間が必要だったが、苗は順調に生育した。予想を超えるほど立派な苗ができていた。

経済同友会の視察団にマツの被害について説明する吉田俊通さん(左端、その右に長谷川閑史・同友会代表幹事＝当時、2012年3月11日)

もう一方に、寄付集めや国、宮城県、名取市などとの話し合いの仕事があった。海岸では、より強い海岸林にするための盛り土工事や防風柵の設置が国の手で進んだ。盛り土は海岸部の地下水位を相対的に下げてマツが地中深く根を張れるよう、専門家の提言を受けて実施された。防風柵はマツの幼い苗を海岸の強風や砂粒から守るためである。

所有者が国、県、市に分かれている海岸100ヘクタールにマツを植えるというプロジェクトについて、国、県、市が正式にオイスカと協定を交わしたのは植栽間際の2014年2月。震災からほぼ3年たっていた。行政の信頼を

植栽地の表面には、倒れたマツを砕いたチップがまかれた（同）

植栽地は国の手で盛土、防風柵設置などの造成が行われた（名取市、2013年10月）

得て、一NGOが資金、技術、人手すべてを丸ごと引き受けて、これだけのインフラづくりを担う。その正式なスタートである。
企業や団体が、海岸の小さな区域を国や自治体から借り、マツの植えつけや手入れを行う例は震災後に名取の国有林でも他の地域でも見られた。そのほとんどは1ヘクタールにも満たない。規模にはニュータウンのような大型団地と一戸建てぐらいの差があった。当然、作業にも違いがある。
4月28日、「名取市民の森」と名づけられた海岸部で植えつけ開始。広大な敷地に職人60人が散って鍬《くわ》を振るう。庭づくりでなく作業である。NGOにこれだけのことができる。吉田さんは「行政の度肝をぬくような光景だ。これでもっと信頼される」と思った。
被災した各地の海岸は気温、風向きなど気象条件はまちまち。植えつけの仕方一つとってもさまざまな方法がある。名取では、現場の責任を持つ佐々木廣一さんが植えつけ初日の朝、プロの職人を集めて、乾燥させない工夫など苗木の扱い方に始まり、植え方の注意一つが将来の成長、ひいては防災林としての強さ

植えつけでは佐々木廣一さん（中央）が若い職人の前で手本を示した（2020年5月12日）

〈海岸では気象条件などにより、さまざまな植え方、防風の仕組みがみられる〉

乾燥や飛砂の被害を防ぐためにマットを使う（福島県相馬市、2016年11月）

強風で知られる北海道・襟裳岬の松林の防風柵。名取の防風柵はこれを手本につくられた（2017年11月）

地面にうめこまれた背の高い防風柵（福島県相馬市、2016年11月）

苗一本一本を風よけの板で守る（青森県三沢市、2018年1月）

2014.3.9

春秋

春、浜辺をそぞろ歩くと、まだ背の低い松に新しい芽が伸び始めている。そのみずみずしさを詠んだ句「浜道や砂から松の若みどり」（蝶夢）のような景色が、何年か先、きっとよみがえる。松林をもう一度つくろうという人たちの頑張りに、そんな確信がわいてくる。

▼津波でほとんど失われてしまった海岸林の再生は、息の長い仕事だ。宮城県名取市では、地元の「再生の会」に非政府組織（NGO）が協力して、クロマツの種をまいて苗をつくることから始めた。2年たった苗は25センチ以上に育ち、春の植え替えを待っている。その繰り返しで、これから6年間に50万本を植林するという。

▼植林、植樹には誰もが手軽に参加できる緑化イベントのイメージがある。そんなものではないとも教えられた。海岸の松林は潮風や砂、霧から生活を守ってきた。その分自らは厳しさのなかに身をさらしている。栄養分のない土壌と寒風に乾風、二つの「カンプウ」に痛めつけられ、「砂漠の植林より難しい」のだそうだ。

▼だから専門家が植える。それでも3割ほどは間もなく枯れてしまうという。3年前に流された松林は伊達政宗が命じて造成させた。400年前の話である。老松が若松に代わり、やがては散歩する人を楽しませるだろう。そして一人前の松林になるまで50年、60年。その姿を、いま頑張っている人の多くは見ることがない。

2014年3月9日付「春秋」

にも影響を及ぼすことを口を酸っぱくして説いた。中には現場の経験が乏しく、海岸でマツを植えたことがない若い職人もいる。ましてや、植えつける場所は太田猛彦・東大名誉教授が「月面」にもたとえたような、石がごろごろしている場所でもあったからである。

鍬などを扱っていれば不注意が重大な事故にもつながりかねない。作業中お互いの距離を保つことなど、事故を防ぐことの大切さも佐々木さんは「これでもか」というほど徹底的にたたき込んだ。

植えつけを見ていて面白いのは、手際のよしあしである。行われているのは1本1本に気持ちを込める植樹ではなく、質と効率を両立させるプロの「技」である。1ヘクタールに5000本植えるには、縦横1・4メートルほどの間隔をとるのだが、その距離を「バカ棒」と呼ばれる細長い木の棒で測りながら仕事を進めていく。穴を掘り、根を広げるようにして苗を置き、穴を埋め戻し、足で踏み固める。「バカ棒」とはだれでも簡単に扱えることからついた異名だという。単純

植樹祭で植えつけを指導する森林組合職員（2014年5月24日）

にも見える作業なのだが、名人級のベテランが1時間に100本も植えるのに、ぎこちない手つきの若者はその3分の1程度。いかにも頼りない。無駄な動きがあるかないか、苗の列がまっすぐかジグザグになっているか。熟練度の差は一目瞭然なのであった。

この植栽の前に私が書いた「春秋」は、松林を再生する難しさを強調している。二つの「カンプウ」とは佐々木さんの説明だが、実際には苗の品質、植え方のよさなどが相まって、海岸に植えられた苗はほとんど枯れなかった。第2章に書いたように、伊達政宗が植えたかのような書き方は史実に反する可能性が高く、ここでも勉強不足を恥じるしかない。

5月24日には名取市民ら350人を集めて植樹祭を開いた。プロの技術を生かしつつ、地元市民にも愛される海岸林づくりのためには欠かせない行事である。NGOが担う植林のプロジェクト、というと、市民が植えつけをするというイメージがある。このプロジェクトに関しても、いまだに市民が植えていると思っている人がいる。しかし、繰り返すが植えつけ作業の主役はプロの職人たちである。それが、「結果を出す」ことを最優先にする佐々木廣一さんの考え、言ってみれば「佐々木イズム」の表れであった。

一方で、地元の人々を招いた年に1回の植樹祭は5年にわたって行われ、毎年500人ほどの参加があった。木を植えるのは楽しい仕事である。ただ、ちゃんと植えるのは難しい。ベテランの職人たちがていねいに指導をし、午前中の植樹祭が終わって市民が帰ったあと、植えられた苗1本1本をチェックして回った。掘る穴が浅くてちょちょっと土をかけたような不完全な植え方がまま見られたほか、根を上にしてさかさまに植えられた苗もあったらしいが、これは現場の人たちの冗談かもしれない。

●「植えっぱなし」のはずがない

こうして名取市の海岸にはクロマツの苗が植えられていった。2020（令和2）年秋までにその数約37万本。多い年の植えつけは8万本を超えた。津波に流されていったんは更地になった海岸に、マツの苗が整列している。この風景を写真で見た人がこんなことを書いている。外部の目が見たプロジェクトの一例である。

「写真を眺めていると、私は輸出用の大量の自動車が港に並んでいる光景を思い出す。こんなに広大に、こんなに一斉に、こんなに整然と植えられたクロマツは五〇年後にどんな松林になるのか？　私には想像がつかない」（小山晴子著『津波から七年目―海岸林は今』）

本を読むと、小山さんは中学の理科の教師を務め、東北の海岸林にも詳しい方である。続けてこう書く。「クロマツは植物である。工場で作られる自動車とは違う『生き物』である。これから百年以上も生き続ける樹木である。（中略）これを作った人達は自動車を作るのと同じことを考えているのではないか、きれいに作って一面に整然と並べて、それで終わりと考えているのではないかと私は思ってしまう」

私にはとても面白い感想だった。港に並んだ輸出用自動車。なるほどそう見えないこともない。その自動車が、「マイカー」として所有者の生活の一部になる前の「ただのクルマ」であるように、クロマツの苗も「ただの苗」である。広大に、一斉に、整然と植えられているというのもその通りで、50年後の姿は私にも想像がつかない。

名取の現場では、たとえば自宅の庭木や草花に託すような気持ちをクロマツには持ってはいられないことにも気づいてくる。そう思うにはあまりにも広大な場所にあまりにもたくさん並んでいて、1本1本に感情移入していられないからである。

だからといって、クロマツを「生き物」とみなしていないという気がしたことはない。おそらく農業であれ畜産であれ漁業であれ、生き物を扱う仕事に共通する感覚だと思うが、この現場は林業、造林の場であり、その意味においてクロマツという「生き物」の特性を生かすことを考えている。それが「佐々木イズム」だと私は理解している。狭い養鶏場にいるニワトリ、養豚場のブタがそうであるように、海岸のマツはマツ自体にとって好ましい生育環境にはないかもしれない。しかし、車とブタが違うように、車とマツは違う。

海岸防災林という性格を考えなければならない。空前の津波被害からの復興のため、このマツは何よりもまず防災林として役立つために植えられている。早く、丈夫に育てる。そして将来の間伐《かんばつ》なども考えれば、広大に、そして整然と植える必要があった。趣向を凝らした戸建てと大型団地とはおのずから発想が違う。小山さんの批判はそのことを見逃している。

もちろん、水はけの悪さなどすでに問題は生じているし、これからも生じるかもしれない。試行錯誤があり失敗があるはずである。失敗を未然に防ぐ努力をし、それを教訓として将来に生かすのはあたりまえであって、植えっぱなしで「終わりと考えている」ということはあり得ない。ボランティアも含めた現場の奮闘を知れば、そうした誤解はすぐに解けると思う。オイスカが立てた計画は「10カ年」を区切りにしてはいるが、当初からその後10年以上にわたる手入れを見据えている。寄付の中からそのための経費を「貯蓄」してとってもあるのである。

植物に関する知識など小山さんの著書には教えられる部分も多い。しかし、もう一点、「オイスカや『名取市海岸林再生の会』の活動には残念ながら、人を育てるという観点がすっぽりぬけているように私には思える」というくだりが気になった。「人を育てる」のが大切であることは言うまでもない。海岸林の将来は人々の関心や活動によって大きく左右される。

次の章では、ボランティア活動などを通してプロジェクトにかかわる人々についても触れることにする。

第13章　ボランティアと若い力

宮城県がホームページで東日本大震災からの「復興の進捗状況」を公表している。２０２０（令和２）年度までの10年間に復興を達成することを目標に掲げ、インフラ、生活、経済など各分野の復興がどこまで進んだかをデータで示し、随時更新していく仕組みだ。その中に「海岸防災林」の項目がある。県内の対象面積は約７５０ヘクタール。２０２０年5月末現在、96パーセントが「復旧を完了」したことになっている。

海岸林がインフラであることはこれまでも強調してきた。しかし、橋や道路や堤防などとはまったく性格が違うものであることを、県のデータは示していない。県のいう「完了」「完成」とは、海岸部への苗の植えつけが終わったという意味である。植えられた苗は、完成した防災林ではない。「橋がかけられた」ときの「完

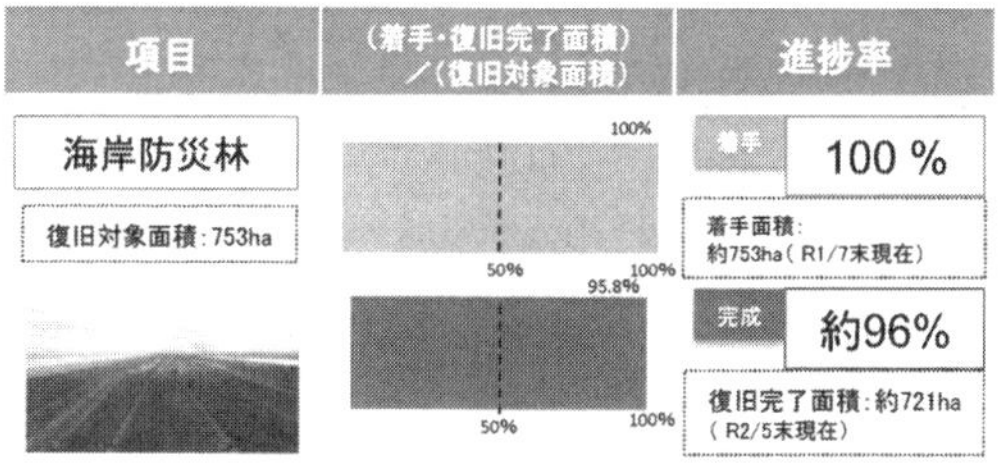

宮城県の資料では2020年5月末現在、海岸防災林の復旧は96%が「完了」したことになっている

成」とは違うのである。

では、真の「完了」はいつなのか。相手は生き物である。植えつけから20年後、30年後に防災林の役割を果たすようになったとしても、人の手を離れるという意味での「完了」は訪れないのかもしれない。

造林としての今後の課題の一つは、本数を減らす間伐《かんばつ》である。間伐は伐《き》り倒した木を間伐材として活用することを前提に行うもので、松林のように伐った木の利用を前提にしない場合は「本数調整伐」というらしい。「捨てきり間伐」とも呼ばれる。間伐については「終章」で詳しく触れるが、1ヘクタールに5000本植えたマツを何回かに分けて減らし、最終的には800本程度(佐々木廣一さん)にするという。専門的には、木の密度などを計算しながら「1伐2残」(3本のうち1本伐って2本残す)という方法で伐採していく。

現場でこうした手入れの指揮をとるのも佐々木廣一さん。将来を視野に入れて植えつけのときから若い職人を厳しく鍛え、育ててきたという意識が彼にはある。

●復興のプロセスに長くかかわれる

ただ、一方には素人にもできることが現場にたくさんある。このあたりでボランティアの人々のことを書かねばならない。プロジェクトは「国民運動型」をうたい、マツの苗が植わる海岸は「名取市民の森」と名づけられている。国民、市民、つまりはボランティアなしにプロジェクトは語れない。ボランティアもまた、前章の最後に触れた「人を育てる」というテーマにかかわっている。

名取市に住む大槻壽夫《ひさお》さん(68)は市の広報誌で知ったプロジェクトの報告会に顔を出したのをきっかけに、2014(平成26)年の植樹祭、そして定期的なボランティア活動にも参加するようになった。今では「ボランティアの日」のほか外国人の現場視察や学校の職業体験などの際の説明・指導役、駅での写真展の手伝いなど「これやってあれやって」と頼まれることも多く、「年間40~50日はプロジェクトにかかわっている」という。私より現場にはずっと詳しいし、野球の審判で鍛えた身のこなしは軽やかで年齢を感じさせない。

製菓・製パン機器の会社に勤めていた大槻さんは多趣味でもある。「百姓の子だから」植物相手はもともと得意で、早朝からの自宅や家庭菜園での庭いじり、土いじりも大好き。陶芸、能面彫り、書道、詩吟なども楽しみながら、「80歳までは」とボランティア活動に精を出す。いまは恒例になったボランティアとオイスカ職員の現地での懇親会を提案したのも大槻さんだった。たまたま会場の居酒屋にいた大阪から単身赴任で名取に来ている男性(35)が、誘われてボランティアの常連になる、というようなこともあった。

「苗を見ていると男にだって可愛くなってくる。年配の女性はよく『孫を育てるような気分になりますね』と言います。若い人も含めていろいろな人と話ができるだけでもありがたいことですよ。こっちの話は小言に聞こえちゃうかもしれないけどね」と大槻さん。人に誘われて行っても中途半端になって長続きしない、だから人はあまり誘わない。

世にたくさんあるボランティアの仕事は千差万別である。ボランティアを募る側にもいろいろな考えがある。大槻さん同様、名取市の内陸部に住む松浦雅子さん(48)は、震災1カ月後の4月から7月にかけ、被災家屋などの片付けのため沿岸部の閖上《ゆりあげ》に通ってボランティア活動をした。「大それたことじゃなくて、時間もあったし体動かすと調子いいし」と言うが、内陸とはいえ自宅に地震の被害があった。「被災した人がなんで?」と問われたと言う。現場では、「作業している家でもらいものをしてはいけない」「震災当時の話をしてはいけない」と言い含められていた。

その後、名取とは別の地域の植樹イベントに参加すると、飲み物とお土産が出た。集中豪雨の被災地に軽トラックで行くと、「軽トラは役に立つが女性は要らない」と言われたり、逆に「女性は目のつけどころが違って細かいところに気づく」と重宝がられたりした。そうした経験を経て名取の海岸林に通うようになったのは、作業自体の楽しさと、やはり出会いの魅力だ

防風柵で休息する大槻壽夫さん(2019年5月)

と言う。「ただ黙々と作業しているわけではないですからね。知らない人たちと出会って時間を共有できる。行きやすいボランティアです。お土産どころか、一日働いたうえに寄付まで求められますけどね、ハハハ」と明るい。

最初は「家のこと放っておかないでまず自分の家の草をとれよ」と思っていたという夫の勝夫さん(55)も、しばしばボランティアにやってくるようになった。

2019(令和元)年までにボランティアに参加した人は延べ1万1千人あまり。大きく分けると、企業や労働組合、学校など組織の参加と、個人の参加とがある。企業の社会的責任(CSR)への関心が高まり、ボランティアを社員の役割の一環に位置づける会社も増えている。首都圏や関西も含め、数人から数十人規模で定期的にやってくる企業・団体は30ほど。社員の間に新しい知り合いが増えて仕事がやりやすくなる、会社を超えたCSR担当同士のネットワークができる、といったメリットもあると言う。

松浦雅子さん（左端手前）が東京の企業から参加したボランティアとともに作業する（2019年7月）

企業の中には震災前からオイスカとの付き合いがあったところもあるし、震災の年の7月のシンポジウムをきっかけにプロジェクトに関心を持ったケースもある。業績や予算によって活動に制約を受けるのは当然だが、長期にわたる復興のプロセスにかかわれること、作業が生き物相手で変化が見えること、適度な厳しさで充実感があることに加え、企業の担当者の話を聞くと、プロジェクト自体やそれを担う人々への信頼感がボランティアを会社の活動に長く組み込む理由になっていることがわかる。

一方、個人にもさまざまな人がいる。紹介した二人のような地元の人だけではない。挙げ始めればキリがないが、毎回未明に宇都宮を車で出て早朝到着し、電車でやってくるボランティアの送迎を買って出る男性(44)、東京から夜行バスで来て夜行バスで帰る女性(19)。千葉県から来てついでに温泉巡りをする男性(52)。そういうふうに繰り返し通ってくる。常連には一人で参加する人が多い。「誘ってもあまり乗ってくる人はいないし、人とつるむより自分の都合で動いた方が長続きする」からだと言う。

個人ではないが、埼玉県草加市の社会福祉協議会が震災後に企画したボランティアのバスツアーに参加したのをきっかけにチームを組み、車を駆ってやってくるグループもある。がれきの片付けなど一段落したあともボランティアとして長く復興にかかわり続けたい、そういった希望を持つ人々にマッチしたのだろう。マツの成長を目の当たりにする参加者が、感情移入とまでは言えないまでも、現場で「港に並んだ大量の自動車」とは異なるものを見ているのは間違いない。

2回以上繰り返しやってくる人は参加者の4割だという。松浦さんの話にもあるように、いろいろなボランティア活動がある。見返りを求める人もいるし、「せめて飲み物ぐらい用意し

ボランティアに継続参加する企業・団体（順不同）

1 三菱UFJニコス株式会社（東京）
2 株式会社ニコン（東京）
3 第一三共株式会社（東京）
4 マルエツ労働組合（東京）
5 全国繊維化学食品流通サービス一般労働組合同盟（UAゼンセン）（東京）
6 全国化学労働組合総連合（化学総連）（東京）
7 全積水労働組合連合会（東京）
8 仙台トヨペット株式会社（宮城）
9 埼玉トヨペット株式会社（埼玉）
10 ユー・エス・ジェイ クルー アライアンス（大阪）
11 ANAホールディングス株式会社（東京）
12 住友化学株式会社・住友化学労働組合（東京・大阪）
13 サミット・レイバー・ユニオン（東京）
14 IBEXエアラインズ株式会社　仙台事務所（宮城）
15 ホーチキ株式会社（東京）
16 全国労済労働組合連合会（労済労連）（東京）
17 凸版印刷労働組合（東京）
18 東京海上日動火災保険株式会社（東京）
19 　同　仙台自動車営業部（宮城）
20 東北電力労働組合（宮城）
21 日本鉄道労働組合連合会（JR連合）（東京）
22 京セラ労働組合（京都）
23 株式会社パシフィック（宮城）
24 株式会社柿崎組（東京）
25 髙島屋労働組合（大阪）
26 ANAグループ労働組合連合会（東京）
27 矢崎エナジーシステム株式会社　仙台支店（宮城）
28 フィリップモリスジャパン合同会社（東京）
29 セコム工業株式会社（宮城）

成長のいい場所は、もう入ることができない（2019 年 11 月）

力を合わせて防風柵を移動（2019年7月）

ろ」と思う人もいるだろう。きつすぎる、という感想もあるかもしれない。そういった人たちは自然来なくなるわけだが、応募者が順調に増えてきたところを見ると、ここでの活動を肯定的にとらえている人が多いことがわかるのである。

春から秋にかけて、ボランティアは現場でおもに草とりや排水路づくりを担当している。森づくり、林づくりのボランティアなのに、木を植える体験をする人はほとんどいない。

クロマツは成長に日光が必要な陽樹。放っておくと苗にからんで全体を覆ってしまうつる性の植物、ツルマメやクズを取り除く手入れが必要だ。草とりというと庭の手入れのように雑草をきれいさっぱりとってしまうことをイメージするが、ボランティアに参加すると、そんな必要はないと教えられる。マツの邪魔にならない草はとるだけ無駄、そのままにしておいていいのである。

つる性の草は地面を這《は》って他の植物にからまるので、生

溝ができると勢いよく水が流れ出した（左手前が吉田俊通さん、2019 年 3 月）

苗にからみついたツル性植物を退治する（2019 年 8 月）

えはじめの根っこを見つけるのが難しい。ただ、作業の意味は理解しやすいしコツもだんだんわかってくる。もう一つの排水路づくりについては、説明が必要かもしれない。

クロマツを植えるために盛り土をしたことはすでに書いた。地下水位を相対的に下げてマツが根を深く張るためである。しかし盛り土の性質が問題だった。工事を行った林野庁は「土質に一定の物理的・化学的な基準」を設けたというが、被災地全体の盛り土のためには短期間に莫大な土が要る。海岸部ではなく山から持ってきた土砂（山砂）が、結果として各地で水はけの悪い場所を生む原因になった。

クロマツは乾燥には耐えられてもジメジメが苦手である。山砂に粘土質が含まれると次第に硬くなって根の成長を妨げるといわれているが、硬さもさることながら、水はけの悪さの方がマツには難敵だという見方が一般的になっている。水はけ問題は林野庁にとっても予期せぬ誤算で、名取の現場でも一度雨が降ると水が引かず、池、湿地のようになる場所が出てきた。そういう場所の苗は成長が極端に悪

2019年最後のボランティアの日には、地元の人々がイノシシ鍋などを振る舞った（11月）

現場で仕事の内容を説明しながらボランティアの気持ちを盛り上げていく吉田俊通さん（左手前、2019年7月）

かったり生気を失って枯れていったりした。

植えつけ前であれば、重機で掘り起こしたり溝を掘ったりすることもできる。しかし、植えつけのあとだと水を周囲に流す排水路を人力で掘るしかない。それが「溝切り」という作業で、ボランティアに託されているのである。

現場は海沿いで風は心地いいが、夏は暑い。スコップや、ましてツルハシなど使い慣れた人はほとんどいない。そして、水はけの悪いところは土が硬いことが多い。排水路が効果を発揮するためには幅と深さが必要だ。要は重労働である。

時に、できあがった排水路を勢いよく水が流れていくこともある。しばらくすると、水が抜けた植栽地では苗の松葉がくすんだような黄色からみずみずしい緑によみがえっていく……。

作業の意義を説き、手順を示し、作業中は指導しながらツルハシも振るう。オイスカの吉田俊通さんはこういうときの人のまとめ方、ムードづくりが抜群にうまい。彼にかかると、ボランティアの気分が前向きに、明るくなっていく。

スイカを差し入れた「再生の会」の櫻井重夫副会長（中央）と仙台トヨペット社員（2017 年 8 月）

一日働いた感想を述べるボランティア。恒例になっている（2019 年 8 月）

草とりも含め、きついし、とくに会社勤めの人には縁のない仕事である。鍬《くわ》、スコップ、ツルハシ、鎌《かま》。見る人が見れば、道具を使い慣れていないことはすぐにわかる。

しかし、仕事は成果が目に見える。「やったという充実感」があってそれで楽しいという面もあるのだが、参加者からは「吉田さんには、こっちも頑張ろうと思わせるところがある」「すごい人だと驚いた」という声を聞く。いずれもいい意味だが、「人たらし」、あるいは私に言わせると「アジテーター（扇動者《せんどうしゃ》）」。体も声も大きく情熱が人に伝わりやすいというキャラクターを、ボランティアの現場ではどこよりも存分に発揮している。

道具の後片付けまでして作業は終了する（2015年4月）

だからだろう、ボランティアがよく来る企業の役員に「プロジェクトへの注文」を尋ねると、「しいて言えば、ですけど、吉田さんがあと2、3人いれば、もっと活気が出るしお金も集まるんじゃないかな」と答えが返ってきたことがある。そのくらい人気があるのだ。ただ、彼の奔放な活動を陰で支えるスタッフの苦労を見ていると「一人で十分」という気もするし、吉田Aと吉田Bがすぐに口角泡を飛ばして言い合いを始めそうにも思えてくるのである。

●植物の手入れは教育と似ている

現場を訪れるようになって、このプロジェクトのキーワードは「地元」「若者」だと思うようになった。これから長く海岸林と付き合っていける人は地元の若い世代をおいていないからである。そういう話を吉田さんや大槻さんたちともしたのだが、ボランティアや植樹祭に対する地元の関心は当初、高いとはいえなかった。

理由はいくつかある。何より、地元そのものが被災地だったことがあげられる。閖上にボランティアに行った松浦さんが周囲に驚かれたように、被災者にとってボランティア活動より生活再建が大切なのは当然である。「海を見たくない」という人もいた。佐々木一十郎《いそお》・前名取市長は「吉田(俊通)君は本当に一生懸命やってくれている」と感謝を口にし、現場に何度も足を運んだが、市民全体の関心へとはなかなか広がらなかった。

オイスカがそれまで名取とは縁のなかったことも影響しているように思えた。植樹祭のポスターを市内各所にある掲示板に貼ったりはしたのだが、オイスカに知名度はなく、逆にオイスカも地元をよく知らなかった。知り合いに町内会長がいたり学校長がいたり地場企業のトップがいたり、という縁がボランティアの人集めにつながるという実例はあちこちで見ている。「名取市海岸林再生の会」は地元の人々の集まりである。しかし、その会員はボランティアでなく仕事としてマツの苗を育てていた。私見だが、会員が知り合いに無給のボランティアに来るよう気楽に声をかけるというのは難しかったのではないかと思う。おもに平日に働く再生の会と土日に活動するボランティアとの接点も多いとはいえなかった。

だからなおさらと言うべきか、再生の会の人々をはじめ、大槻さんも松浦さんも、遠くからやってくる「名取とはかかわりのない」ボランティアの人たちへの感謝の念を繰り返す。ただ、震災から年を経て今後松林が成長するにしたがって、「かかわりのない人」の関心はいやおうなく薄れてくるのは間違いない。そして、再生の会の人々も年をとっていく。やはりカギになるのは「地元」「若者」なのである。

2016(平成28)年5月、海岸での3回目の植樹祭に、校内に貼りだされた募集案内を見て宮城県立名取北高校(北高)の生徒29人がはじめて参加した。翌年は91人。そして、定期的なボランティア活動にも生徒が来るようになった。どれも授業とは関係のない自主的な活動である。

16年の植樹祭のとき、現場にいた私はそこだけ華やいだように見える北高のグループとともに過ごした。そして、若い人がこうした行事に与えるエネルギーをあらためて知った。

男女とも、黙々というより冗談など言いながら楽しそうに作業をしている。と、「あっ、おじいちゃん!」という声が聞こえた。女子生徒の祖父がやはり植樹祭に参加し、孫の顔を見つけて様子を見にきたのである。

「おじいちゃんも名取に住んでるんだけど、会うのはひさしぶりなんです」と女子生徒。「地元」「若者」と名取の海岸林との距離が、少しずつでも縮まってきたのを実感できる植樹祭になった。

名取北高の生徒の参加が植樹祭にエネルギーを与えている(2018年5月)

17年の植樹が終わったあと、生徒たちは防潮堤の向こうに広がる海を見た。「震災以降、海に足が向かなかった彼らも、この時ばかりははだしで駆け出し、波打ち際ではしゃいでいました。その姿に涙が出る思いでした」と同校の金澤隆志校長(当時)が「OISCA」誌に書いている。そして、「名取北高校はこれからもプロジェクトに参画しながら、人育てを通じて地元の皆さまと共に歩んでまいります」と記した。

その後、挽地《ひきち》裕之現校長から、北高は42年前の創立当初から地域社会と連携して役に立つ人材を育てるという理念を持ち、そのために奉仕活動を大切にしようという校風があったと説明を受けた。部活動の奉仕活動部、ギター部などが近隣の老人健康施設を

挽地裕之・名取北高校長

北高野球部員が「溝切り」の重労働に取り組んだ（2019年3月）

訪問するなど、地道に校風を養ってきたという。初期に何度もボランティアに通ってきた男子生徒もギター部員だった。

「そうした地下水脈があって、生徒も抵抗なくボランティアに入っていけたと思う。年代の違う人とのふれ合いには、学校では学べないことがたくさんある。その楽しさが口伝えに同級生や下級生に広まっていった」と挽地校長。さらには「植物に手入れが必要だということは、教育と似ています。教育も『手入れ』ですよね。人も植物も、きちんと手入れをすればちゃんと育っていく。植林でいえば、植えることには目が行っても手入れはおろそかになりがちです。『だれかがしてくれる』『行政がしてくれる』ではなくて、みんなができることをやる。とくに都会生活では忘れられている大切なことじゃないでしょうか」と訴えた。

教育現場の価値観が学力に偏る傾向のなかで、ボランティア活動の役割を見据えた発言で、心強い。先に紹介したギター部員は「これからは地元の若い世代が技術や知識を受け継ぎ、協力して松林を守っていかなければならないと思う」と言っていた。思わず「そうそう。頼むよ」と相槌を打ちたくなる。そういった若者が地元の学校から、そしてボランティアの現場から一人でも多く育つことを夢見ずにはいられない。

そして、未来に開かれている若い人たちと接することは、「大人」のボランティアにとっても大いなる力になる。町内会などのお祭りで北高の茶道部が野点《のだて》を披露したりすると、「若い人がいるといいねえ」という声がいくつも学校に届くという。海岸の植栽地で、同じ気持ちになっている大人はたくさんいる。

第14章　「目」がマツを守る

マツの苗が植わる名取の海辺の草むらの中に、三浦隆さん（52）はキラリ光る目を見つけた。２０１９（令和元）年11月28日木曜日、午後2時半過ぎである。Tシャツによく描かれている派手な宇宙人みたいに見えた。一瞬、目が合ったように思い、持っていたカメラのシャッターを切ると、すぐに「宇宙人」は飛び去った。

「ふわふわと飛ぶ」のを目の当たりにして、はじめてコミミズクだとわかった。「飛んでいる姿は何度か見ていたのですが、地上にいるのは見たことがなかったんです。冬鳥で、稲刈りの終わった田んぼでネズミを探しながら休憩しているらしいんですけど」と三浦さん。ラッキーな瞬間に味をしめて何度か同じ場所に通ったが、「柳の下にもうドジョウはいなかった」と苦笑

ボランティア活動中の三浦隆さん

草むらにひそんでいたコミミズク（2019年11月、三浦隆氏撮影）

いする。

仙台市に住む三浦さんは、プロジェクトの常連ボランティアの一人。鳥をはじめ花やチョウ、カエルなど生き物の写真を長年撮っている人だ。いまは東北各地で鳥類の生態調査の仕事をしながら、名取の現場もボランティアのときだけでなく、月に1、2回歩きまわっている。鳥探しが目的だが、マツの苗に異変があったり雑草がはびこっている場所があったりすれば気づく。プロジェクトを見守る「目」になっている人なのである。

海岸にマツを植えつける5月、空ではヒバリがずっとさえずっている。草むらからふいに飛び立つこともある。三浦さんによれば、夏はカッコウやにぎやかに鳴くオオヨシキリ、秋には群れで防風柵に止まるムクドリ、冬には海岸線を飛ぶハクチョウなどがよく見られる。「種類が季節によって変わっていくのが面白いし、きっとマツが成長すれば見られる鳥も変わっていくでしょう。海岸林は夏鳥のオオルリやキビタキの渡りの中継地になってくれるのではないかと思います」

物事が食い違うことをたとえて「いすかの嘴《はし》」と言ったりする。イスカという鳥のくちばしは上下がかみ合わず左右にずれているためだが、針葉樹林にすみつくというこの鳥も「まだ見られてはいませんが、ここで見つけたいですね」と三浦さんは言う。

津波で流された海岸林を再生させるため、各地で盛り土の工事が進められた。もとあった土砂とは異質な土を持ち込み一斉にマツの苗を植えることが、生物にどんな影響を与えるのか。

生態系が変わり、それまでいた貴重な生物は姿を消してしまうのではないか。そんな懸念を抱いた人は少なからずいた。確かに、なるべく早く防災林を再生することと海浜の多様な生物の生息環境を守ることの両立は難しい。盛り土を施した広大な土地は一時、砂漠のように見えたものである。

●タヌキもキツネもハヤブサもいる

名取の現場には、盛り土をした植栽地の海側と内陸側にそれぞれ幅30メートルの「手つかずの場所」が設けられている。海側は砂地、内陸側は湿地の環境をまとまって残すための「保全区域」である。また、植栽地の間にも盛り土もマツの植栽もせず自然に任せているだけの縦横15〜20メートルほどの区域が18カ所ある。ここも生物多様性に配慮し、すみついた生物が植栽地全体に生息域を広げていくことも狙ったゾーンだ。

林野庁東北森林管理局は「被災した保安林の早期回復によって人々の生活を守るのがあくまでも第一義」とはしながらも、生物に詳しい専門家もまじえて検討会をつくり、現場にどんな生物がいるのか、津波で塩をかぶった場所にどういう生き物が戻ってくるのか、２０１９年度まで5回にわたって詳しいモニタリング調査を行ってきた。とくに、国や宮城県によって希少であることが指摘されている「要注目種」をクローズアップして調べている。

2019年度の調査で見つかったのは植物369種（299、512）、昆虫362種（286、691）、鳥類48種（36、63）、哺乳類3種（5、8）、両生類3種（3、4）、は虫類1種（2、2）、魚類4種（8、10）、底生動物15種（4、45）。カッコ内は最初が2013年度の初回調査で見つかった種の数、次がこれまでの5回の調査で一度でも確認された種の数である。補足すれば、哺乳類3種というのはタヌキ、キツネ、イタチ。両生類はカエル、は虫類はトカゲの仲間のカナヘビ。また、魚類は内陸側の保護スペースの水たまりなどにすむメダカ、フナ、ドジョウなど、底生動物は水生昆虫やエビ、カニ、ザリガニの類である。

この数をどう評価するかは難しいのだが、少なくともかなりの種類の生き物がいることがわかる。調査も、保全区域には在来生物の生息・生育環境が維持されていること、そうした生物が保全区域の外側にも生息場所を広げていることなどをプラスに評価している。一方で、魚類が見つかっている内陸側の保全区域では乾燥化が進み、さかなや湿地性の生物の数が減っていることも指摘しており、植栽地と周辺の環境が震災直後とは変わりつつあることをうかがわせている。

プロジェクトに携わる人々にとって、現場で生き物に出会うのは大きな喜びである。たとえば哺乳類。イタチを見た人はいないがキツネの目撃情報は数多く、植栽地には巣穴も見つかっている。猛禽類に襲われたのか、子ギツネの死体もあった。タヌキは長く糞《ふん》の小山が見つかるだけだったが、2020（令和2）年8月の夜、植栽地を車で巡回していた吉田俊通さんがヘッドライトに目を光らせる親子3匹に遭遇した。
タヌキは林野庁の初回の調査ですでに見つかっている。そのたくましさは、麻布大学いのちの博物館上席学芸員・高槻成紀さんが、名取市の北の仙台と南の岩沼両市の海岸で拾ったタヌキの糞の分析した結果からも見てとれる（「タヌキも戻ってきた」＝「津波が来た海辺」所収）。割合からいうと昆虫や果実、種子が主だが、糞からはネズミの骨や歯、鳥類の羽、カニ、さらにはポリ袋や輪ゴムまで見つかったという。名取のタヌキも同じようなものを食べているに違いない。

　鳥類にも触れておくと、姿や鳴き声にそれぞれ特徴があることからボランティアなどで現場を訪れる人たちの関心は高い。キジがマツの苗の間から顔を出すことはよくあるし、猛禽類のノスリ、ハヤブサ、チョウゲンボウなどを見つ

ホンドギツネの元気な姿（2019年6月）。死体や白骨も見つかっている

キツネの巣穴に興味津々のボランティア（2019年4月）

タヌキは夜行性でなかなか出会わない（2019年5月、林野庁仙台森林管理署提供）

アカテガニは動物や鳥類の餌にもなっているようだ（2018年9月）

ける人もいる。ハヤブサの幼鳥の写真は、植栽地から堤防を越えた砂浜で三浦さんが撮った。「幼鳥は警戒心がないのか、正面3メートルくらいまで近づけた」という。

マツの苗の間にヒバリの巣があり、ヒナが大口を開けている写真もオイスカのスタッフが写している。コミミズクは２０１９年度の林野庁の調査では確認されていないのに、三浦さんは見つけた。調査の「上」を行く場合もあるのである。

大型の鳥類は海辺のさかなや植栽地周辺のネズミなどの小動物を狙っているとみられているが、調査でネズミは見つかったり見つからなかったり。ただ、すみついた生き物がそれを餌にするあらたな生き物を招く、という連鎖がここでも成り立っているのだろう。

海辺でハヤブサの幼鳥が羽を休めていた（2020 年 1 月、三浦隆氏撮影）

キジにはよく出会う。「ケーン」という鳴き声も聞く（2018 年 5 月）

クロマツの苗の先に止まったモズ（2019 年 11 月）

調査にはない項目で書いておきたいのはキノコ類。かつて海岸林が格好のキノコ狩りの場だったことは書いた。いままたキノコが出始めている。素人には見分けが難しく手を出しにくいのが難点だが、現場とキノコに詳しい松島森林総合代表の佐々

毒キノコのヒトヨダケ（2020年6月）

植栽地で採れた食用のアミタケ。松林の代表的なキノコだ（2019年6月）

木勝義さんによると、すでにアミタケ、ハツタケ、キクラゲなどの食用キノコが見つかっている。今後、マツタケ、キンタケ（キシメジ）、ショウロなどが出てくるのではないかというのが佐々木さんの見立てだ。そもそも、マツはキノコと共生関係にあることが栄養の乏しい海岸部で成長できる理由の一つなのである。

●松くい虫被害を食い止めるために

ここまで海岸林再生の現場の生物の話を詳しく書いたのは、名取の海岸部がただクロマツ造林の場所というだけでなく、多様な生物が生きる場にもなっていることを示したかったからだが、もう一つ理由がある。それは「目」についてである。

震災のあと、津波で被災した東北の太平洋沿岸部の多くは「災害危険区域」に指定された。それによって、公園や田畑、工場などはつくれても人が住居を再建し生活を営むことはできなくなった。震災前、海岸林に接するように建っていた家々はずっと内陸側に移り、その分、松林と暮らしの距離は広がっている。窓を開ければマツが見え、日々の散歩やジョギングのコースにも組み込まれる、という環境ではなくなったのである。

一方で、海岸林は人の目を必要としている。林野庁仙台森林管理署の前海岸防災林復旧対策室長、市川裕子さんがこう言っている。「海岸線という過酷な環境ですから、植えたあとにきちんと保育をしないと台無しになってしまう。だからどう管理していくのかは、とても重い問題です。復旧の時期には注目もされるけれど、その後の長い地道なところには、なかなか目を向けてもらえません。お金をかけて取り組む必要性があるということをしっかり説明していかないと、お金も人も離れてしまう」

その通りである。すでに書いたように、本数調整伐（間伐）など専門家によるお金をかけた計画的な手入れが欠かせないのは言うまでもない。「保育」というとそういうイメージがある。しかし、必要なのはプロの目だけではない。

たとえば、鳥の姿を探し求めながら歩く三浦さんのような「目」。現場になじんでいることで、マツの変化に気づくことがある。そうした目をたくさん持つことが大切なのは、第一に松くい虫の心配があるからである。

松くい虫は海岸林の将来を左右する最大の問題だとみられている。これまでの5回の林野庁

自然環境保護区域で育った実生のクロマツ。抵抗性でないのが懸念材料だが生命力は旺盛だ（2020年8月）

調査では、松くい虫を媒介するマツノマダラカミキリは確認されていない。植えられたクロマツの苗のほとんどは松くい虫に抵抗性があるものだが、自然保全区域には津波のあと落ちたタネから育った実生《みしょう》のクロマツも自生している。植栽したマツにまさるような勢いの成長ぶりは、それ自体が自然のたくましさを示してはいる。しかしこのマツは「抵抗性」ではない。松くい虫に弱いという不安を抱えている。

松くい虫の対策には、広大な林の中で被害に遭った木をいち早く見つけるのが有効だ。そのためには多くの目が必要になる。「松原」と名づけられるような全国の海岸林のなかで、松くい虫の被害を最小限に食い止めて健康な状態を保っているのは、地元の人々のそうした目をたくさん持っている場所である。

ゴミが松林の大敵になるとは悲しいことだが（2019年3月）

なにもマツだけをチェックするために海岸にやってこなくてもいい。そこにすむ生き物に関心を持ち、種類の変化や環境の移り変わりに注意を払う。そんな中から松林やマツの状態の変化に気づき、手入れの必要にも思い至る。ちょっと緩やかでも、そうした関係が地元の人々と海岸林との間に結ばれていけばいいと考えることがある。林野庁が進めてきた5回の調査は、そのとっかかりになるものである。

調査結果は膨大なもので、植物や昆虫好きなら「えっ！」と思うような種類も見つかっているはずである。この調査、そもそもは「クロマツ単一種の海岸防災林の復旧は生物多様性の保全に悪影響を与える」という懸念・批判に対応し、そうではないことを示すために始まっている。5回で「批判にこたえる」という一応の目的は達し、予算の制約もあって調査はこれで終了するという。

「引き続き経過を注視していくことが望まれる」と報告には書かれているが、今後の調査の活用や継続の方法が具体的に決まっているわけではない。結果がこのまま埋もれてしまう可能性もある。これまでの調査ほど大がかりである必要はない。調査区域を狭めたり、あるいは鳥類、トンボなどに絞り込んだりしても、高校、大学などが受け継いで観察・研究を続ければ、貴重なデータが集まるだろう。そして、そのような活動が、とくに若い世代の海岸林への関心にもつながっていくのだと思う。

林野庁の調査は、希少な植物の生息場所を特別に保護して観察してきたが、場所や種名を公表していない。珍しい生き物が見つかると人が押し寄せて荒らされるということは各地で現実に起きている。ただ、隠しているだけでいいのかどうか。

閖上《ゆりあげ》の砂浜で海浜植物ハマボウフウの保護・育成活動をしている「名取ハマボウフウの会」の今野義正理事長は、「まったくの無関心より、『てんぷらに』とちょっと持って行かれても関心を持ってくれたほうがまだいい」と話している。ハマボウフウは乱獲がたたって絶滅の心配がある植物だ。「根こそぎ」は困るが、「人をひきつける魅力にもなる」と今野さん。そういった考え方も参考になる。

　草取りや排水路づくり。前章で書いたボランティアの作業に最近もう一つ、重要な仕事が加わった。ゴミ集めである。発泡スチロール製のトロ箱（魚介類の輸送などに使う箱）は砂浜から堤防を越えて飛んできたものか。ほかに、弁当の空き箱やペットボトル、空き缶もあれば、もっと大きい電気製品や家具もある。とくに人が入りやすい植栽地の周辺部で作業をすると、集めたゴミはほどなくして山になる。

　ゴミは基本的にマナー、モラルの問題で、名取に限らず、手を焼いているところも多い。人が来なければ捨てられることはないが、一方で、人の目が行き届かないからこそ捨てられるという面がある。手を打たないと状況が悪化することは間違いない。監視や啓発も含めたゴミ対策は、東北地方の太平洋岸各地で再生されつつある海岸林に共通する課題になってきている。

　震災後は人気《ひとけ》のなかった浜辺に、釣り人が目立つようになった。防潮堤の上は散歩やジョギング、サイクリングを楽しむ人、あるいは三浦さんのように鳥の写真を撮ろうとカメラを携える人も見かける。津波で失われた名取市のサイクルスポーツセンターは再建、植栽地の北半分にサイクリング道がマツの苗の間を縫うように走る。スケートボードやバスケットボール、フットサルのコートを併設するのは、若者をひきつける仕掛けである。

　サッカー好きの私は、海岸林を「ひいき」のチームとダブらせてみることがある。英国などでは「おらが町のクラブ」を何世代にもわたって応援している家族がある。選手に関心を持ちチームの成績に一喜一憂し、義務というのではなく楽しみとしてスタジアムに出かけチームを支えて育てていく。そんな関係が海岸林と地元の人々の間にも結べればいいと思ったりする。旗を振ったりしなくてもいいけれど。

植えられたクロマツはまだ小さい。そのマツがどう育っていくのか。すべては、とは言わないが、多くは人がマツとどんな関係をつくっていくのかに左右されるのである。

終章「11年目」から　新たな歩み

丹野幸男さん(76)は宮城県東松島市議会議員だったころ、「津波議員」と呼ばれていた。丹野石装企業を経営するかたわら、議会で声高に津波対策の大切さを訴えていたからである。

「でも、住民もあんまり乗り気じゃなかったな」

その日、幸男さんも津波で流された。地元の野《の》蒜《びる》地区の海岸近くに住む人を一人、車で避難させ、二人目を、と走る途中、バックミラーに真っ黒い津波が映った。車を捨て山に向かって逃げたが、津波に追いつかれた。流れてきたタイヤにつかまり、やがて気を失う。夜になってＪＲ仙石線の線路わきに倒れている姿がみつかった。「何十回もほっぺたをたたかれ、焚火に当てられて意識を取り戻した」という。

丹野幸男さん(左)、勝さん親子。この道具が見つかって、幸男さんは仕事の再開を決意した(2021年10月)

海岸から400メートルほどの場所の自宅は流され、娘の住む山形県での避難生活。体調不良もあって「仕事はもうあきらめていた」幸男さんに、二軒のお寺から電話がかかってきた。「あんたを待ってっから、墓を建て直してくれないか」。気持ちに火が付いた。鉛筆一本から買わなくてはならなかったが、「これだけはなくちゃ困る」という石を吊るす鉄製の器具や三脚は、流された自宅のそばで息子の勝さん(43)が見つけた。「これで石屋がまたできる」。あとはもう、死に物狂いで働いた。

●被災者がつくった「再生の碑」

震災からまる10年、2021(令和3)年7月21日、名取の海岸林のほぼ中央で「海岸林再生の碑」の除幕式があった。プロジェクトを統括する佐々木廣一さんの依頼でこの石碑をつくったのが丹野さん親子である。

石碑は大きい。濃い灰色の御影石(花崗岩)で、インド原産のものを中国で形を整えて輸入したというが、高さ240センチ、幅144センチ、厚さ21センチ。重さは2・2トン。一枚の石材として輸入できるギリギリの限度だという。

なぜ大きいか。刻まれた碑文が長いからだ。700~800が石碑では普通だという文字数がほぼ二倍の1400ほどある。文章を書いた佐々木さんは話す。「自分の気持ちは書かず、

石碑の除幕式のころはまだコロナ禍のさなかだった（2021年7月）

事実だけを書いた。後世になって、行政の人にも住んでいる人にもだれにでも分かるようにと思って。でも、ほんとはもっと入れたいことがあったんだけど」

幸男さんは、さすがに字数が多すぎると思った。しかし、読みだすと削れるところがない。「石碑は50年100年先の人々が読むものだ。この石碑のすごいのは石より文面。佐々木さんの魂がこもっている」

石碑をつくるきっかけは、1959（昭和34）年建立の「愛林碑」である（37、129ページ参照）。デザインも似せている。「主張しすぎず、時たまだれかが読んでくれればいい。ただ、仕事には区切りが必要で、地元の人たちが担ってきた名取市海岸林再生の会の活動にも一つの区切りをつけたかった」と佐々木さんは言う。

江戸時代の仙台藩の藩政や人々の生活を研究する菊池慶子・東北学院大教授は「再生の碑」を見て、「古文書を扱うものとして、記憶装置として動かずにその場

海岸林再生の碑

平成二十三年三月十一日午後二時四十六分、岩手県沖から福島県沖南北五百㎞に亘る広い震源域とするマグニチュード九・〇の巨大地震が発生、震源域中心が宮城県牡鹿半島沖百㎞、深さ二十四㎞、宮城県栗原市で最大震度七を記録、北海道から近畿地方までの広い範囲で地震を観測した。この地震によって巨大津波が発生、同日午後三時五十二分に太平洋沿岸に到達、青森県から千葉県までの広い沿岸に押し寄せ、仙台空港隣接海岸では高さ十三mに達するなど、岩手県沿岸から福島県沿岸にかけて特に甚大な被害が発生、全国で死者一万四百三十人、行方不明者千三百十五人という未曽有の被害が発生した。

名取市においても震度六強の地震が発生、押し寄せた津波は海岸から五・五㎞内陸に到達、死者九百二十二人、行方不明者四十一名が出るなど甚大な被害が発生、住宅や農地に加え、農業や生活を潮害や風害から守ってきた海岸林百二十六ヘクタールもほぼ全域が壊滅的被害を受けた。

名取市の海岸林の所有区分は、内陸側から国有林、市有林、県有林となっており、宮城県と名取市は海岸林の復興再生事業を国（林野庁）に依頼、盛土から植林までの復興再生事業を国(林野庁)が行うことになった。平成二十三年から三mを基本とした盛土工事が林野庁東北森林管理局仙台森林管理署により開始されることになった。

一方、公益財団法人オイスカは、海岸林再生プロジェクト十カ年計画を立ち上げ、国、宮城県、名取市に対し植林等海岸林再生に協力したいと申し入れを行うとともに、名取市海岸林近隣で農業を営んでいた人々を名取市内の避難所等に訪ね、海岸林再生事業に協力してもらいたいと申し入れた。

これを受けて、北釜地区と杉ケ袋地区の被災農家が中心となり、平成二十四年二月二十九日に二十五名が参加して「名取市海岸林再生の会」を結成、オイスカと連携・協力して名取の海岸林再生に取り組むことになった。

名取市海岸林再生の会は、オイスカとの委託契約により会員の雇用対策も兼ねてクロマツ苗木の生産から開始、再生植林面積約百ヘクタールに必要な苗木年間五万本、十年間で五十万本を目標に苗木生産を開始した。苗畑は下増田北原東の個人所有の畑六千㎡を借地契約により確保、その一部にオイスカと共同使用する事務所、休憩施設等を設置した。

オイスカと名取市海岸林再生の会は平成二十六年三月、海岸林のうち県有林、市有林八十九ヘクタールと内陸防風林三・六四ヘクタールについては宮城県、名取市と、国有林のうち二・九一ヘクタールについては仙台森林管理署と協定を締結し、植林及び保育等に協力するとともに、これ等に掛かる経費については、オイスカが寄付を募って全額負担することにした。

平成二十六年四月二十八日から宮城中央森林組合に発注して植林を開始、令和二年五月まで追加造成地と合わせ区域面積百三ヘクタール、植栽面積七二・四六ヘクタール、三七万五千本の植栽を完了、活着率も九九%を超える高い成績を残した。

この植林に合わせ、平成二十六年から同三十年まで五回の植樹祭を開催、宮城県民等延べ三千人が参加、十ヘクタール、五万本の植樹を行った。これに必要な苗木の供給や植栽指導等を宮城中央森林組合とともに当再生の会が行っている。

平成二十八年からは下刈、つる切・除伐も開始し、振動機械を扱う作業等資格・熟練を要す作業は、宮城中央森林組合及び松島森林総合に発注。人力で行うことに適した作業については、年間二千人に及ぶボランティアにより実行し、平成二十六年植栽したものは、五mに達するものもあるなど順調な生育をしている。

今後もオイスカと連携して本数調整伐等保育に協力し、人々が安寧に暮らせる多面的機能を有した防災林に育つよう、活動を継続して行くことにしているが、この海岸林再生に係る植林完了を機に、海岸林再生復興に尽力されたすべての人々と関係機関に敬意を表し、併せて、この未曽有の大震災とその再生復興を後世に伝えるため、ここに「海岸林再生の碑」を建立する。

令和三年七月吉日　名取市海岸林再生の会　建立

撰文 佐々木廣一

にあり続ける石碑の意義には格別のものがあります。人々の願いも祈りも、そこに凝縮されているのだと思います」と話した。題字を「偉い人」に頼んだり、裏面にあふれるほどの名前を刻んだりということがなく、実際にかかわった人だけの碑になっていることにも感銘を受けたという。自身も生死の間をさまよった職人がつくったこの石碑は、佐々木さんの言葉を借りれば「ひっそり、淡々と」名取の海岸林のいわれを語り続けていくことになる。

●盛り土の上に森をつくる珍しさ

「現場の調査で極端なデータが出ると、申し訳ないけど研究者はちょっと興奮するんですよね」。東京都立大学の川東正幸教授（54）は2022（令和4）年6月、名取の現場でボランティアを前にこう言って笑いを誘った。研究室のチーム4人で調べていたのは2014（平成26）年の植栽地の土の性質である。

この年に植えられたマツは、場所によっては5メートル以上に成長しているのに、調査した区画では1

現場で調査する川東正幸さん（2022年6月）

メートル ほどにしか育っていない。同じ年に同じ苗を同じように植えたのに、何が「生育ムラ」を起こしているのか。川東教授を驚かせたのは電気の流れやすさを示す「電気伝導度」の、自然界の林ではありえないほどの高さだった。分かりやすく言えば、塩分濃度が異常に高いのだという。

土壌の専門家として、生育ムラの原因にはまず土の固さや水はけの悪さなどの「物理的な要因」を疑った。しかし「犯人」は別かもしれない。そのことが川東教授を興奮させたのだ。植栽地は造成されてから10年近くたっている。塩分なら雨で流されているはずなのになぜかくも数値が高いのか。この「ミステリー」に研究者の血が騒ぐ、ということなのだろう。

川東教授に限らない。そして、名取の現場に限らない。研究者は震災後の海岸林再生の現場にさまざまな「不思議」を見いだし、関心を寄せている。キーワードの一つが「盛り土」である。

海岸林再生の現場では、クロマツが深く根を張れるよう2～3メートルの盛り土をしてから苗を植えるという手法がとられた。ただ、盛り土による造成はこれまで建物や道路、鉄道などのためであって、盛り土をして大規模な森林をつくること自体が「きわめて特殊だ」と研究者は口をそろえる。

建物や道路のための盛り土なら、重機などで固く締めなければならない。では森林をつくるための造成はどうすればいいのか。そんな経験や技術は土木業者にも研究者にもない。だから、

小野賢二さん

少なくとも最初のころは、海岸林のための造成地でも盛り土の上を重機が走り回り、土は固められていった。近隣の山などから持ってきたさまざまな性質の土砂によって造成した海岸にクロマツだけの森林をつくる。「そうした世界的にもあまり例のない設定自体に面白みがあるのです」と川東教授は言う。

森林総合研究所の小野賢二さん(49)は震災から3年ほどたったある日、「海岸林の造成地の土が固くて苗の生育がよくないらしい。見に行かないか」と先輩に声をかけられた。もともとの専門は「自然の土」。「この土壌にどういう木を植えればいい木材がとれるか、という『適地適木』が調査の中心でした」。実際に現場に行くと、確かに土がめちゃくちゃ固い。しかも、ここに育てる木はクロマツだとあらかじめ決められている。どうすればクロマツが育ちやすい土壌になるのか。「人為の影響を強く受けた土壌の研究・調査は初めてで、自分の研究にとって新しい大きな柱になりました」

小野さんたちのチームは名取だけでなく、東北の太平洋岸の海岸林再生の現場を足しげく訪ねて研究・調査を進めている。見ていると、しょっちゅう穴を掘っている印象がある。「土にはそれぞれ『顔

平野恭弘さん

つき』があります。人工の場所でもそれぞれ顔つきが違う。それは、掘って、触ってみないとわからない」と小野さん。

造成で固くなった土壌を1・5メートルの深さまであらためて軟らかく耕し直した実験がある。二年半後、固い土のままの場所ではクロマツの根は地下20センチほどの深さまでしか伸びていなかったのに対し、耕した区画では110センチまで伸び、太さにもはっきりした差があったという。一度深く耕せば、その効果は長く持続することもわかってきた。

盛り土に使われた山砂に粘土が一、二割混じっていると、粘土がいろいろな粒を結びつけて土壌全体が固くなってしまうこと、盛り土に海で堆積したものが混じっていると、その堆積物が空気に触れることで化学変化を起こして酸化し、土全体が一気に強い酸性になること、そしてその「潜在的酸性硫酸塩土壌」の影響は長期にわたり続くこと、なども小野さんとの話で教えられた。

名古屋大学の平野恭弘准教授（52）の専門は根っこである。震災の後、「自分のしてきた研究は何の足しにもならないという感覚があった」というが、海岸の盛り土はそもそも根を地中深く張らせる

小野さんらのチームが現場で掘り出した根。植えつけてから9年でここまで大きくなっていた(2023年11月)

ために行われたものだ。根の状態が頑丈な海岸林のための肝の一つであることに間違いはなく、「いま、クロマツの根の状態を調べることに携われてよかったと思うと同時に、責任も感じる」と話す。

平野准教授らのチームは地中レーダによって地上からは見えない根の状態を突き止める研究も進めている。根の状態は掘り出してみなければわからないが、もし掘らずに知ることができれば、手間も省けマツのためにもいい。直径1センチ以上の太さがあれば、根はレーダで解析できるという。

海岸林再生現場のクロマツの根は、ちょうどこれから本格的な解析が可能な太さになっていく。クロマツはこれまで海岸の砂地に植えられてきたが、今回はさまざまな土質の人工造成地が舞台だ。「レーダによる調査にとっても、これは挑戦です」という平野准教授のキーワードも「盛り土」なのである。

2023年11月、小野さんや平野さんの研究・調査チームが間伐されたクロマツの根を掘り出していた。ある根っこは、土の具合がよかったのだろう。植えつけから9年で垂直に地中に伸びる根は優に1メートルを超え、横への広がりは測りきれないほどだった。この健康な根と盛り土の性質の間にどんな関係があるのか。これからの分析をチームのメンバーが楽しみにしている様子が、はたからもうかがえた。

そもそも根の働きとは何か。水分や養分を吸収して植物全体に供給すること、そして植物を支えること。そんな「イロハのイ」のほかに、炭素を根のなかに蓄え温室効果ガス削減に役立ったり、「落ち根」によって土中に養分や炭素を蓄える手助けをしたりする役割があることを平野准教授は強調する。

「落ち根」とは聞かない言葉だが、「落ち葉」と同じように、細い根が定期的に枯れ落ちることだという。平野准教授らの名古屋大のグループは「落ち根」を森のなかで直接採取する方法を開発、ヒノキ林では先端の細い根が毎月落ちることも発見した。クロマツ林でも、落ち葉だけでなく落ち根も盛り土の性質を変えていくことも考えられるのである。

土に関して、川東教授が面白いことを言っている。「土は本来『できる』ものです。自然のなかで、土はできていくのです。しかし、人間が土を『つくる』ことがある。たとえばナスの栽培のために、というように農地では人間が介入して土をつくっています。海岸林の造成でも、人が土をつくったわけです。そこに自然の力が加わってどんなオリジナルな土ができていくのか。新しい土と、その条件にあったクロマツが土地全体の環境を築いていく。その姿に強い関心があります」

そうしたなかで、クロマツの生育を阻害する要因を突きとめることもできるかもしれない。海岸林の造成にそうしたムラがあるなら、道路敷設やトンネル掘削の現場でも、一様にみえる工事のなかに予期せぬ意外なムラが潜んでいるかもしれない。川東教授の関心は広がっている。

●「個の力」でディフェンス強化

震災からの10年の主な作業が「植えること」だったとすれば、これからしばらくは「伐ること」がメーンになる。植えたマツを減らしていく作業である。

もう一度、本数調整伐(間伐)の意味を整理しておこう。

海岸防災林の役割は、第一に潮風や砂から内陸側の農地や人々の暮らしを守ることである。その「ディフェンス力」を高めるためにはスカスカではまずい。というわけで長い間、縦横1メートル間隔、1ヘクタールあたり1万本のクロマツの苗を植えることが基準になってきた。「密植」と呼ばれる植え方である。じつは理論的な根拠ははっきりしないのだが、密度の濃さを目指し、間伐も禁じられてきたのである。

その結果、あちこちで過密状態がみられるようになった。「個」の力が弱く、弱い力がいくら束になってかかっても効果的なディフェンスができない状態、である。窮屈でそれぞれのマツに成長のための十分なスペースが与えられず、ひ弱になった姿が各地の海岸林の調査で報告されている。「ひ弱」とは、簡単にいえば高さに比べて幹が細いこと、そして、枝が生えている部分（樹冠）が木の頂上近くに限られ、頭でっかちになっていることである。

本数調整は、風や砂だけでなく、高潮や津波にも対抗できるように個の力を高めていこうという考え方である。後でまた触れるが、杉林の間伐などと違い、伐ってしまった海岸のマツは間伐材として使うわけではない。残ったマツに頑張ってもらうための間伐なのである。

まず、伐採のあとが風の通り道にならないよう海岸線に平行に機械的にマツを伐っていく。二列残して一列伐る「二残一伐」と呼ばれる方法だ。こうして三分の二に減らし、その後も数年ごとに伐っていき、1ヘクタール5千本植えたマツを最終的に800本程度にする作業が本数調整である。

坂本知己さん

植えて育てて、最後には伐ってしまう。だったら最初から植える本数を減らせばいいではないか。苗木の代金や作業の手間、さらに、伐ったマツの利用方法が見つかりにくいことを考えれば、なおさらまっとうな疑問である。「植栽本数は技術というより習慣で決まっていた。減らすことはもちろんできます」というのは海岸防災林に詳しい森林総合研究所研究専門員（取材当時）の坂本知己さん（64）である。

技術の進歩で枯れないで育つ苗の割合（活着率）が向上した。震災後は、なにより復旧を急がねばならない。国の方針もあって1ヘクタールに5千本を植えることが被災地の基準になったが、坂本さんは「海岸からの距離などの条件を考慮して、海側の最前線は5千本でも内陸側なら2500本でいい、といった考え方は成り立ちます」と説明する。気候や地形、土質などさまざまな条件があるから一概に「これが正解だ」とは言えないにせよ、今後は植える本数を減らしていくことになるのだろう。

間伐の手間は木を伐るだけではない。伐った木を林の外に運び出し、処理のために運搬するコストも無視できない。伐採や搬出をより簡単にし、伐ったマツの量を減らすにはどうすればいいか。間伐を早く始めることも答えの一つになる。木が小さいうちに伐採を始めれば、作業も簡単になるし処理するマツの量も減る。

佐々木廣一さんによれば、保安林に指定されている名取の海岸林には、法令によって伐採に規制がかかっているが、解釈によって早い時期の本数調整も可能になるという。坂本さんも「本数調整はタイムリミットばかり気にしてきて、より早い着手は想定していなかった」と話し、「胸高（高さ1・2メートル）くらいになれば問題ないのではないか」と関心を示している。

いつ、どのように本数調整をすればいいか。その理論・方法も、例えば木材をとるためのスギの人工林などに比べて確立されていない。間伐しすぎることは警戒しても、間伐しないことの悪影響は過小評価されてきた。実際、弱い木は自然に枯れ、放っておいても強い木が強い防災林をつくっていく、という考え方もあった。あまり急に本数を減らせば残った木への「風当たり」が強くなり、海岸林全体がダメージを受けることにもなりかねない。しかし、各地の過密状態は「自然任せ」ではうまくいかないことを示している。

木のたくましさを示す指標に「形状比」がある。胸高（高さ1・2メートル）の直径と樹高の割合で、胸高直径が10センチで高さが6メートルなら、その木の形状比は60。一般には60程度が望ましいといわれるが、過密になると木はひょろりとし、80、90になってしまう。もう一つ、樹冠の長さも目安になる。ひ弱な木は樹冠が小さく、逆に言えば一番下の枝から地面までの距離が長い。樹高に対する樹冠の長さ（樹冠長率）を大きく保つのも、本数調整の目的である。

2022（令和4）年1月17日、職人たちによる本数調整伐が始まった。最初の年はおよそ10ヘクタールのクロマツ5万本の三分の一、1万7000本を伐った。現場は植えつけ最初の年、2014（平成26）年の植栽地。なかには高さ5メートルほどのクロマツもある。育ちのよさがプロジェクトの順調な歩みのシンボルにもなっている。だからこそ、窮屈な木を減らすことが急務でもあるのだ。

間伐したマツを林の外に運び出すボランティア（2023年2月）

作業は機械的である。「わかっちゃいるけど」と思いつつ、門外漢には「容赦なく」とか「有無を言わせず」といった言葉が浮かんでくる。しかし、伐採される列のマツはどんなに立派でも伐り倒されていく。伐る木を選びながら成長の悪い木を伐採する作業（「定性間伐」という）は三回目以降の本数調整から必要になるという。

2023（令和5）年に入って、普段は下草刈りやゴミ集め、排水路づくりなどを担当するボランティアがのこぎりを手に伐採を体験した。作業が始まる前、佐々木さんが口を酸っぱくして作業には危険が伴うことを訴えた。

林野庁の職員として長く林業の現場に携わってきた佐々木さんには、凶器になりかねない道具を扱う危うさが身に沁みている。「安全は経験して覚えるのが一番いいけれど、死んじゃえば経験もクソもない。他人の経験を自分のものにすることとです。朝、顔を見合ってお互いの体調を判断することも大切なんですよ」。プロの作業員も出入りするプロジェクトの現場で、これまで事故らしい事故は起きていない。それが佐々木さんの自負でもある。

はじめてヘルメット姿になったボランティアが向かったのは名取市の南端、岩沼市との市境の0・5ヘクタールだった。植えつけから8年、高い木は4メートル以上、直径も15センチ近くに育っている。マツはざっと2500本。三分の一の850本ほど伐って林から運び出し何か所かに集めるのが、ボランティアの仕事ということになる。

●伐られたマツを生かす道は…

青々とした葉がついたまま伐られたマツ。行く末はどうなるのか。その道筋は徐々にではあるが見えつつある。方法は主に三つ。ストーブやボイラーに使われるペレットなどのバイオマス燃料、バーク堆肥などの土壌改良材、そして、伐ったマツそのものを生かす道である。

ペレットは細かく砕いてから圧力をかけて固め、直径1㎝弱、長さ数㎝に成形した燃料だ。材料には木の幹だけを使うのが普通だが、間伐したマツはまだ幹が細い。枝や葉も一緒に加工できるかどうか、木材会社が試験を続けている。ひとまずペレットをつくることには成功し、分析を専門機関に依頼しているというが、木材会社の担当者は「商品化には時間がかかりそうです」という。

「生木の幹は重さのざっと半分が水です。ペレットにするには水分を15％ほどに落とさなけ

旭園では年末の門松づくりが大切な行事だ（2023年12月22日）

ればなりませんが、葉にはもっと水分が多い。枝葉が入るとペレットの固さも足りず崩れて粉になりやすくなって、お客さんがいやがる。海岸部のマツなので塩分を吸収していて、ペレットを燃やした炉の腐食や燃えカスの処理も問題です」。なるほど、越えなければならないハードルがいくつもあるのである。

一方、伐った木の活用というと、すぐ思いつくのは門松ではないか。かつて門松のための盗伐がはびこったという話は、各地の海岸林に伝わっている。間伐は新年をはさんで行われるので時期もぴったり。「河北新報でプロジェクトを知り、マツをいただけないかオイスカにお願いしました」というのが、門松づくりを通じて障害者の就労支援をしている宮城県柴田町の障害者支援施設・旭園である。

この施設では数十年にわたり、松、竹、梅、ナンテン、葉ボタンを使って10人ほどで門松づくりを続けてきた。胸の高さほどの「大」が３０００円、膝丈くらいの「小」が１０００円と格安なこともあって、施設の目玉商品になり、作業する人のやりがいでもあったが、コロナ禍に加えて最近はマツの入手が難しくなっていた。

「マツが手当できずやめようという時期もあったんですが、『来年も頼むね』という常連のお客さんもたくさんいます。『大』一つに50センチのマツ、『小』には30センチのマツがそれぞれ4本ずつ必要です。（提供を）快く引き受けていただき、感謝しています」と旭園の小野寿幸園長。2023（令和5）年12月、旭園では名取から2トントラックで持ち帰ったマツの枝を使った200ほどの門松づくりが、佳境を迎えていた。

●カミキリに卵を産ませない

本数調整の巧拙は将来の海岸林の姿に影響を与える。しかし、専門家はそのことに対する不安をあまり口にしない。きちんとしたプランを立てて実行すれば、多かれ少なかれ効果が見込まれるからである。彼らの大きな心配は別のところにある。「これからの懸念の九割はこの問題にある」と言う人すらいる。それが「松くい虫」だ。この病虫害の概要や発生のメカニズム、対処法は本書の「付録」に詳しく書いた。

2021（令和3）10月2日、名取の現場を視察していた日本海岸林学会のメンバー、森林総合研究所の中村克典さんが声を上げた。伐られて放置してあった大人の腕くらいの太さのクロマツの幹に、鉛筆の太さほどの穴を見つけたのである。松くい虫の専門家でもある中村さんにはピンときた。佐々木廣一さんが木を割ると、中から幼虫が出てきた。案の定、マツノマダラカミキリの幼虫だった。

カミキリの幼虫が名取で見つかった。事件である。厳密にいえば、マツに入り込んで枯らすのはマツノザイセンチュウで、カミキリはザイセンチュウを運ぶ役割を担っている。もし幼虫にザイセンチュウが寄生していれば、春に羽化したカミキリが元気なマツにザイセンチュウを運び、マツの中で爆発的に増殖するザイセンチュウがマツを枯らすことになる。

中村さんが調べたところ、幸いカミキリの幼虫がみつかった丸太にザイセンチュウはいなかった。しかし、幼虫発見は大いなる危険信号である。カミキリが産卵するのが夏から秋にかけて。弱ったマツ、枯れ始めたマツを産卵場所に選ぶ。伐り倒された木も格好の場所になる。名

マツノマダラカミキリがあけた穴と中の幼虫（2021 年 10 月）

取で見つかった幼虫も、伐ったまま残されていた木の中にいた。

本数調整伐が真冬に行われるのは、カミキリの産卵の時期に伐ったマツを現場に残しておかないためなのである。宮城県の北隣の岩手県は「松くい虫対策」の伐採施業指針をつくり、被害地域とその周辺では、6月から9月にかけての「伐採は避けること」と定めている。「指針は県内に多いアカマツが対象ですが、クロマツはアカマツより松くいに弱いといわれているので、当然この指針が適用されます」と岩手県盛岡広域振興局。佐々木さんはこの指針も踏まえ、冬に本数調整する計画を立てたのである。

「あれっ？　名取に植えられているクロマツは松くい虫に抵抗性のある苗だったはずだが」と思う人もいるだろう。しかし、土にまじったタネから震災後に自然に育ったマツも海岸にはあり、幼虫がみつかったのはそうした木だった。植栽地にも抵抗性でない苗を植えた場所もある。そして何より、「抵抗性というのは、『かからない』のではなく『かかりにくい』という意味です」と中村さんはじめ専門家は口をそろえるのである。

新型コロナを思えば分かりやすい。ワクチンを打つとかかりにくくなったり症状が軽くなったりする。しかし、変異株は次々現れ、「ワクチンを打ったから大丈夫」と言い切ることはできない。それとよく似ている。

本数調整と松くい虫対策、二つの柱がこれから丈夫で健康な海岸林をつくっていくための肝になる。

●海岸林が生活を守る

東日本大震災の前、名取の海岸林の内陸側には、住宅とビニールハウスを中心とした農地が広がっていました。この地方は、春から夏にかけて太平洋からの冷たい東風「やませ」が吹き、この風が何度も冷害、凶作をもたらしました。海岸林は「やませ」をブロックする役割を担ってきたのです。

津波にすべてが流され、この地域は一変しました。ずっと内陸の、津波の被害がなかった場所でも風や砂、塩の影響が農作物に出る。住宅では窓のサッシ、車や自転車、硬貨がさびやすくなる。そんな話を聞きました。暴風雨で飛ばされた塩分が電線の絶縁体「ガイシ」に付着して、漏電、停電の原因になることもあります。

作家・安部公房が傑作『砂の女』を着想したことで知られる山形県酒田市の庄内海岸は、潮風や飛砂との闘いを繰り返してきた場所です。とくに砂に脅かされ続け、戦中、戦後の人手不足や物資不足で海岸林が荒廃すると、海辺の小屋や家まで埋もれてしまう被害が出ました。その恐ろしさは写真に残っています。

戦後の庄内海岸の松林再生の事業は1951(昭和26)年に始まりました。それから70年たったいま、クロマツの分厚いベルトができています。ここには名取と同じように沿岸部に空港

海岸林が生活を守る

夏のやませによる冷害や
凶作から農作物を守る
海風に含まれる
塩・砂を松葉がこしとる
高潮・津波の勢いを弱め、
農作物や住宅を守る
名取の松林では、ミサゴやハヤブサなどの鳥類、タヌキやキツネなどのほ乳類、マダラヤンマやババアメンボなどの昆虫類、センダイハギなどの植物が見つかっている。
海岸林は多様な生物を育んでいる

霧が流れてくるのを防いで
交通機関の安全を守る
海からの強風は、
松林を抜け、穏やかな風となり、
ほとんど塩分がなくなる
家や車、農機具などへの
砂の侵入、錆を防ぐ
電線のガイシなどへの
塩の付着を防ぐ

（庄内空港）があります。こうしたインフラや内陸部の生活が海岸林によって守られています。

名取の海岸林再生も更地からの再出発でした。震災から10年近くたち、植えられたクロマツはまだ小さくても、少しずつ「格好」はついてきました。生き物が戻ってすみつき始め、かつてあったビニールハウスも再建されつつあります。

漁船、漁具を納める小屋（奥）が砂に埋もれ、関係者が移転について話し合っている（山形県酒田市、1961年5月。浜中民具資料館所蔵）

名取市の海岸林は「潮害防備」「飛砂防備」「保健」の保安林に指定されています。木々の成長によって高潮や津波、塩害から生活を守る役割を果たすだけでなくイラストにあるように、風や砂、さらには流れる霧も防ぎ、市民に憩いの場を提供する。これからも何十年という時間をかけて、そうした機能もあわせて持つ松林に成長していくことになるのです。

●なぜクロマツ

海岸林の条件とは何でしょうか。砂や風から家や田畑を守るためには背が高くなければなりません。成長は早い方がいいし、冬も葉が落ちない常緑樹の方が効果があるでしょう。そのような木ならマツ以外にもあります。

ただ、海岸というのは植物にとってきわめて特殊な環境です。普段から風が強いし塩をかぶる。台風のときなど内陸部より激しい暴風雨にさらされます。強烈な日差しを浴び、砂地が多いので乾燥もするし栄養分は少ない。こうした環境のなかで生きるため、海辺の植物には背が低く、根を深く張り、肉厚な葉に水分を蓄える、という特徴がみられます。背が高いことが求められる海岸林には厳しい条件なのです。

次ページのイラストに示したクロマツの持つ数々の性質は、厳しい環境を克服するために好都合です。全国の海岸の松林のほとんどは江戸時代以降に人工的に植えられたものですが、現代にいたるまで、経験的にも科学的にも、クロマツと同じかそれ以上に海岸防災林の機能を果たせる樹種が広く認められたことはありません。同じマツでも、クロマツはアカマツより耐塩性が強いとされています。

クロマツにも長所の裏返しの弱点があります。例えば、日差し、乾燥には強いが、日陰やじ

なぜクロマツ？

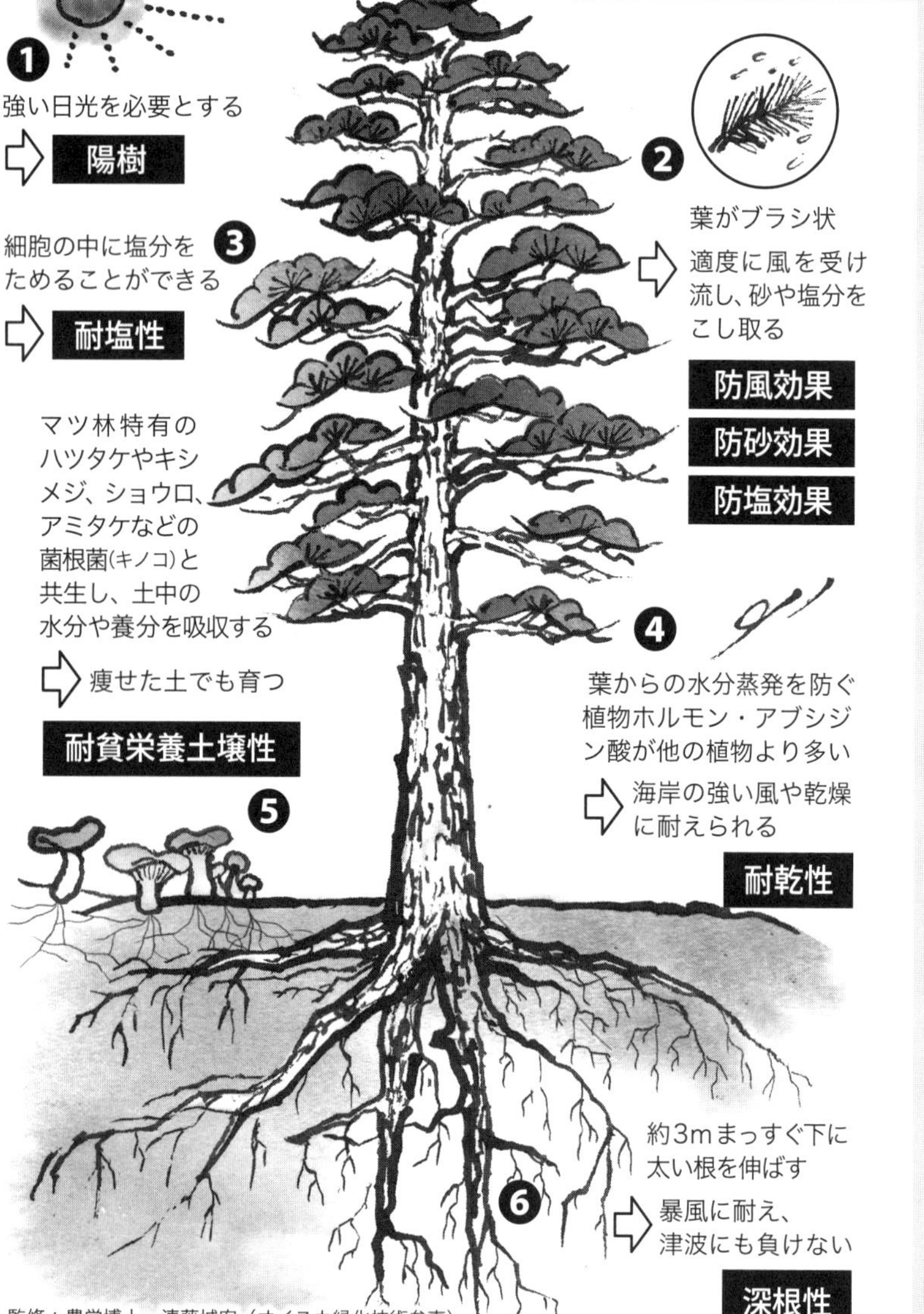
❶
強い日光を必要とする
陽樹
❷
葉がブラシ状
適度に風を受け流し、砂や塩分をこし取る
防風効果
防砂効果
防塩効果
❸
細胞の中に塩分をためることができる
耐塩性
マツ林特有のハツタケやキシメジ、ショウロ、アミタケなどの菌根菌(キノコ)と共生し、土中の水分や養分を吸収する
痩せた土でも育つ
耐貧栄養土壌性
❺
❹
葉からの水分蒸発を防ぐ植物ホルモン・アブシジン酸が他の植物より多い
海岸の強い風や乾燥に耐えられる
耐乾性
約3mまっすぐ下に太い根を伸ばす
❻
暴風に耐え、津波にも負けない
深根性

監修：農学博士　清藤城宏（オイスカ緑化技術参事）

めじめした土壌は苦手だとか、土壌に栄養がありすぎるとかえって元気がなくなるということがあります。とくに幼いころは、雑草が木を覆ったり土壌に水がたまって長く引かなかったりすると、急速に弱っていきます。

もう一つ指摘されているのは、クロマツだけの林の「もろさ」です。一番心配されるのは、別に詳しく説明した「松くい虫」の被害ですが、一種類の木だけの林は病虫害などによって大きな被害を受け、場合によっては全滅する危険があります。

東日本大震災のあと、被災したほとんどの海岸林にはクロマツが植えられました。クロマツよりふさわしい木がないからです。しかし、名取市の海岸林では、海側に比べて環境が厳しくない内陸側に広葉樹を植える試みもしています。防災機能を持つ、より強靭《きょうじん》な海岸林をつくるにはどうすればいいか。クロマツ以外の樹種を生かすことも含め、これからも研究が必要です。

●植栽から30年後のイメージ

津波や高潮は日常的に起きるものではありません。海岸林が日ごろ果たす役割は、塩分を含む風や砂が内陸部に流れ込むのを防ぐことがメーンだといえるでしょう。では、どのくらいの効果があるのか。

防風効果は、普通は木の高さの何倍の距離まで風下で風が弱まるかによってあらわされます。もちろん、木の高さや密度、林の幅、そして風の強さなどさまざまな条件に左右されます。だから数値にも大きな幅があるのですが、近藤純正・東北大学名誉教授は25倍~100倍というデータを明らかにしています（「近藤純正ホームページ」より）。

かりにクロマツが年間50センチメートルず

植栽から30年後の海岸林と防風・防塩効果イメージ

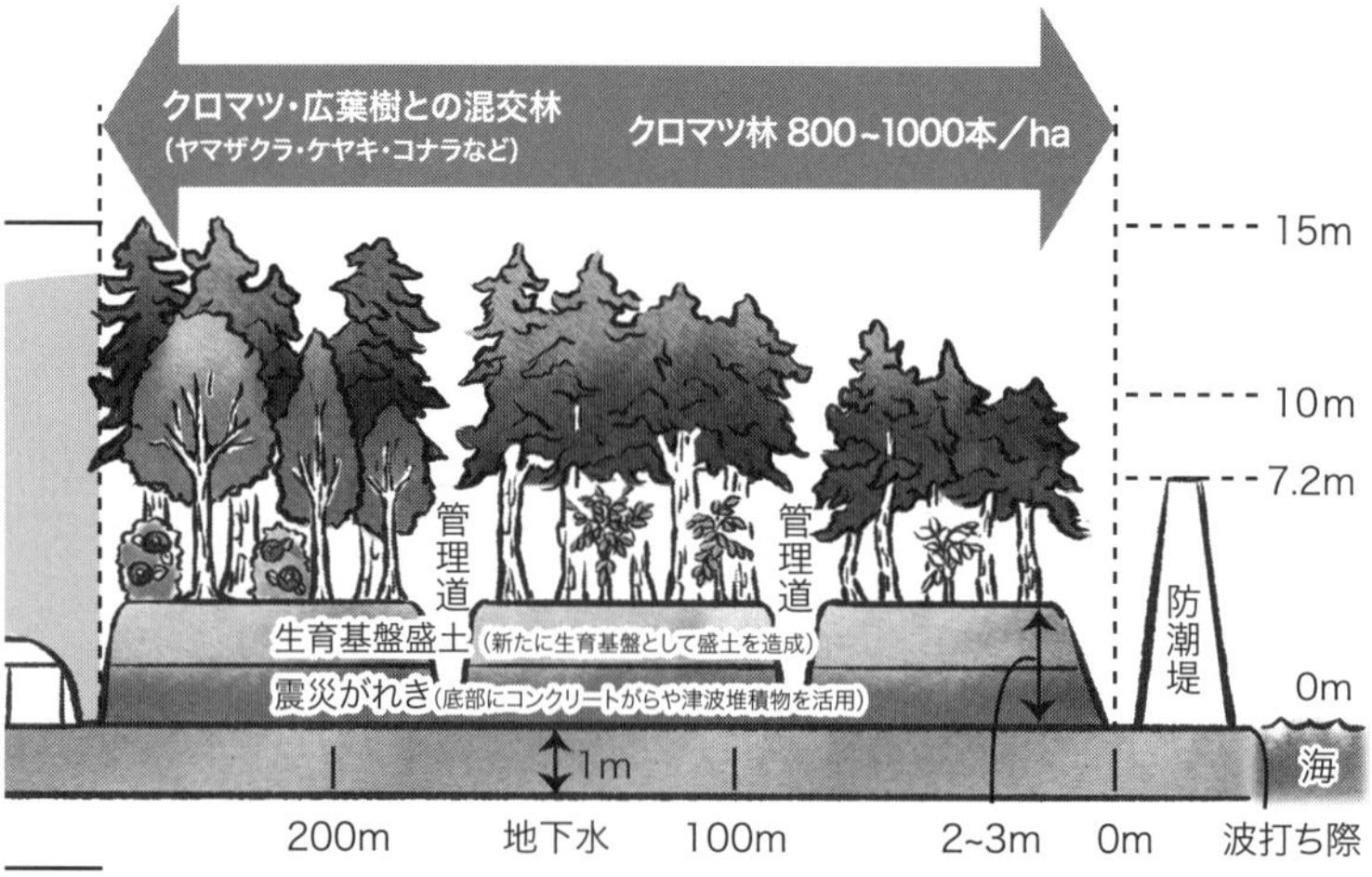

つ成長すると30年後に樹高は15メートル。その林から最小でも風下375メートルまで、最大だと1500メートルまで防風効果があることを示したのがイラストです。効果は海岸林から遠ざかるにしたがって弱まっていくのは当然でしょう。海岸だけでなく内陸部にも防風林があると、そこからまた防風効果が生まれることになります。

これより効果を小さく見積もった研究もありますが、いずれにしても、風下の広い範囲に防風効果が及ぶことは間違いありません。

一方、塩分は海岸林の枝葉に付着することで内陸部に飛ぶ量が大きく減少します。これも林の幅や高さ、風速などの条件に左右されますが、河合英二氏（森林保全・管理技術研究所）の論文「海岸林における津波以外の防災機能」（2016年）による要約では、風に含まれる塩分は林を通過する間に80％減少し、さらに林内で風速が弱まる効果もあいまって、海岸林の内陸側での塩分減少率は90％以上に達する、とされています。

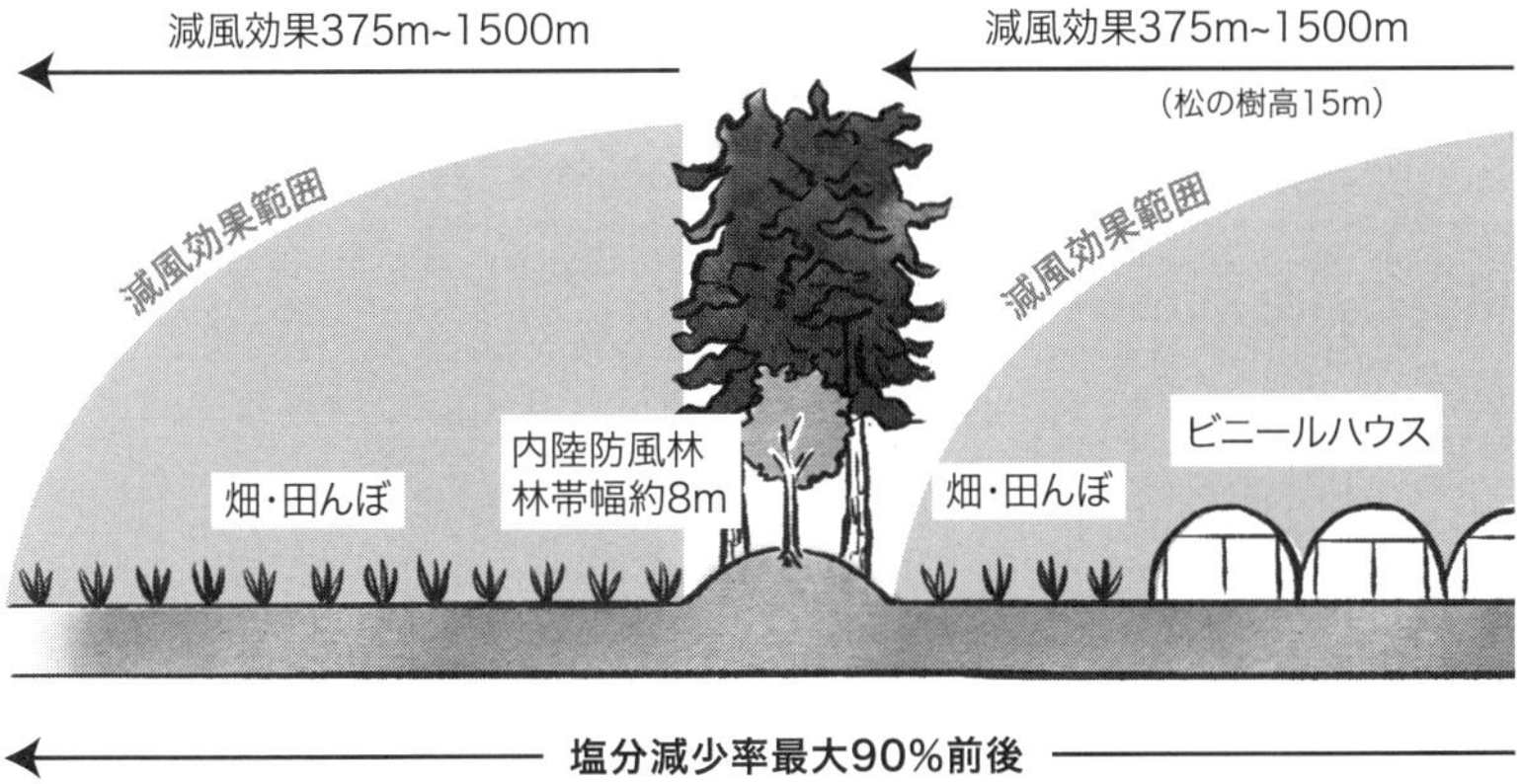

● 植栽から30年後のイメージ

●松くい虫の被害はこうして拡大する

これから海岸のマツが順調に生育していけるかどうか。「最大の懸念は『松くい虫』だ」と専門家のだれもが口をそろえます。実際、日本各地の松林は長い期間にわたってその被害を受け続け、国や自治体、そして研究者はその対策に追われてきたのです。

「松くい虫」というのは、いわば病気の通称で、そうした名前の虫がいるわけではありません。イラストにあるように、マツの樹皮を餌にする昆虫・マツノマダラカミキリと、その昆虫に寄生する線虫類・マツノザイセンチュウという長さ1ミリくらいの小生物によってもたらされるもので、被害はときによって爆発的に広がり、地域の松林が一面赤茶色に枯れて全滅してしまうようなこともたびたび起こりました。

カミキリが餌になる元気なマツに取りつく→センチュウがカミキリの体内からマツの中に移動して増殖しマツを枯らしていく→枯れはじめたマツにカミキリが産卵する→翌年羽化したカ

マツノマダラカミキリのメスの成虫（頭部から腹部末端まで2〜3センチ）（森林総合研究所提供）

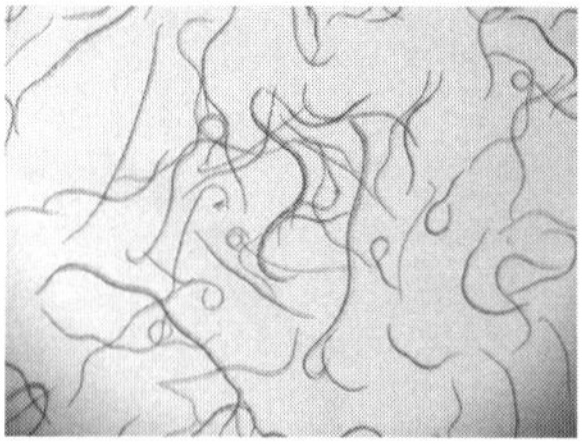

マツノザイセンチュウ（大型の個体＝成虫＝が体長約1ミリ）（森林総合研究所提供）

ミキリは体内にセンチュウを持ってまた元気なマツに取りついていく……。こうした1年周期のサイクルが繰り返されることで、被害は急激に拡大します。

カミキリがセンチュウを元気なマツに運んで増殖を促し、センチュウはカミキリの産卵や繁殖に好都合な衰弱したマツを用意する。カミキリとセンチュウの間に持ちつ持たれつの関係があることがわかります。その関係が、両者にとってじつによくできている分、人間にとってはやっかいなのです。

マツノザイセンチュウはもともと日本にはいなかった生物で、北米大陸から入ってきました。記録に残る最古の松くい虫被害は、100年以上前の1905（明治38）年ごろに長崎県で確認したとされています。第二次大戦から戦後にかけて管理が不十分になったため被害が拡大、占領期間中には事態を重視した連合国軍総司令部（GHQ）が対策を指示しました（「松枯れの謎に挑む」山中啓、1984年）。

被害のピークは1979（昭和54）年で、2018（平成30）年には7分の1に減ってはいますが、なお「我が国最大の森林病虫害」（林野庁）であり続けているのです。温暖化の影響もあって、被害は日本列島の北へ、そして標高の高い場所へと広がり、いまでは本州最北端の青森県にまで達しています。高温・乾燥の環境が被害を拡大することがわかっています。

名取市だけでなく、震災で被害を受けた各地の海岸林にはほとんどクロマツが植えられました。クロマツはさまざまなマツの中で最も「松くい虫」の被害を受けやすいといわれ、海岸と

松くい虫の被害はこうして拡大する

「カミキリ」はマツノマダラカミキリ
「センチュウ」はマツノザイセンチュウ

❿ 6～8月

センチュウを体内にかかえたカミキリは新しいマツを求めて飛び立ちます

❶ 6～8月

（東北地方の一般的な時期）

センチュウを持ったカミキリが元気なマツの枝にとまります

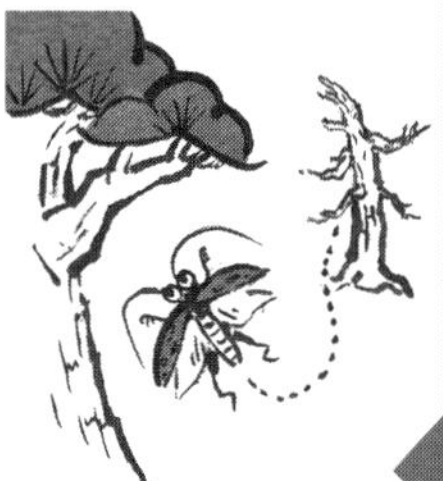

❷ 6～8月

カミキリはマツの若い小枝の樹皮をかじって食べます

❸ 6～8月

かじった跡からカミキリの中にいたセンチュウがマツに侵入、センチュウはマツ全体に広がり爆発的に増殖します

❹ 7～10月

センチュウに感染したマツは根から吸い上げた水を枝先まで届けることができず、樹齢10年前後のマツだと1～2ヵ月で枯死します

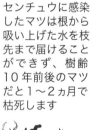

❺ 7〜8月

枯れ始めたマツから出るエタノールとα-ピネンなどの化学物質の匂いを嗅ぎつけたカミキリが集まり、幹や枝の樹皮に噛み傷をつけ産卵します

❻ 7〜10月

孵化（ふか）したカミキリの幼虫は、樹皮のすぐ内側のやわらかい部分を食べて育ちます

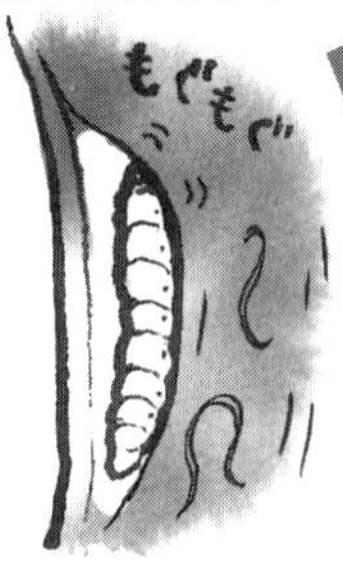

❼ 9〜11月

十分に成長した幼虫は木の内側深く潜り込み、蛹室（ようしつ、サナギになるための部屋）をつくって越冬、春にサナギになります

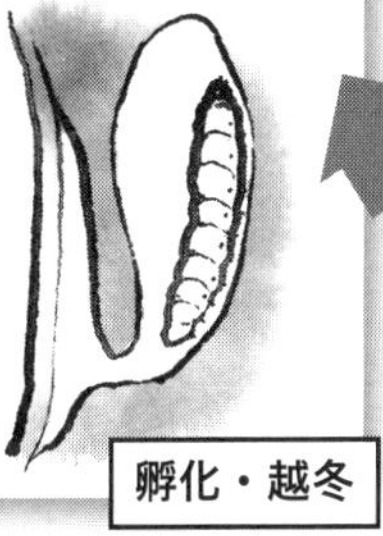

❽ 4〜6月

枯れたマツのなかで分散していたセンチュウは、サナギの体から出る成分をたよりに蛹室の周りに集まってきます

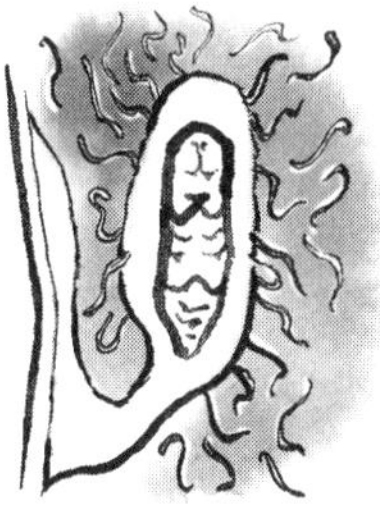

❾ 5〜7月

サナギが羽化すると、センチュウはカミキリの気管（呼吸するための管）に潜り込みます

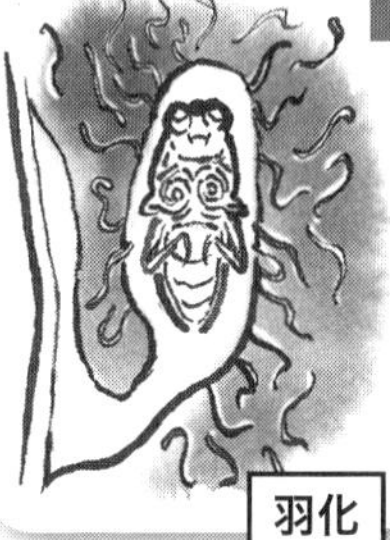

いう厳しい環境がマツに及ぼすストレスも懸念されています。マツノザイセンチュウが枯らしたマツに限らず、どんな理由で衰弱したマツにでもマツノマダラカミキリは産卵し、繁殖したカミキリによって被害が拡大するからです。

一方で、平坦な場所にまとまって植えられたマツには対策を立てやすいというメリットもあります。こうした点を踏まえながらさまざまな松くい虫対策が立てられてきました。その技術自体は、20年ほど前までには確立したといわれています。

海岸に植えられたマツが幼いうちはあまり心配はありません。仮にマツが枯れてカミキリが卵を産んでも成虫まで育つことはできず、あらたな被害につながらないからです。しかし、マツが人の背丈ぐらいになると十分危険になります。

対策はおもに3種類あります。「伐倒駆除《ばっとう》」「予防散布」「樹幹注入」です。それぞれ見ていきましょう。

「伐倒駆除」はマツノマダラカミキリの幼虫やサナギが生息する枯れ木を見つけ、成虫になって飛び立つ前に木をまるまる処分する方法です。処分には焼却や殺虫剤を使った燻蒸《くんじょう》などいくつかのやり方がありますが、大事なのは、カミキリが飛び立つまでに徹底的にやることです。

少なくとも松林全体から発生するカミキリを80〜90％減らすこと。それがもし半分程度にとどまってしまうと効果はなく、対策自体がムダになってしまいます。

したがって、この対策のかなめはまずカミキリが産卵した、あるいはしていそうな枯れた木、弱った木を見つけることです。莫大なマツの中からそうした木を探し出すには「たくさんの目」が必要です。ドローンなどを使った空からの探索も始まっていますが、きめ細かい調査には、地上からの人の目が欠かせません。しかも、日ごろから松林に親しんだ人の目、つまりは地元の人々の定期的なチェックが有効なのです。

実際に、地域のボランティア活動が伐倒駆除に効果をあげている例も報告されています。世界文化遺産になった静岡県の三保松原では、異常がある木を通報できるスマートホン用のアプリも開発されています。

「予防散布」はマツノマダラカミキリが餌を求めて飛んできそうなマツにあらかじめ殺虫剤を散布しておく方法、つまりカミキリの成虫をターゲットにした対策です。空中からまく場合と地上からまく場合があり、木の高いところまで確実に薬がかかる空中散布の方が効果があるといわれています。平坦な海岸林は空中散布に適した条件を備えています。

ただ、この対策は薬の散布時期とカミキリの成虫が発生する時期がずれると効果が低下するといった問題のほかに、周辺の環境に影響を与える懸念から、かつてと同じような強度、規模での散布が難しくなっています。その分、松くい虫対策という意味では効果をあげにくくなっているのです。

「樹幹注入」はマツの木の中のマツノザイセンチュウの移動や増殖を防ぐため、マツの幹に直接薬剤を注入する方法です。「この木を松くい虫から守る」という意味の対策で、予防散布が難しくなってきた現状では効果がある方法です。

ただし、いくつか欠点があります。１本ずつへの薬剤注入には他の対策に比べて手間や経費がかかること、薬剤の効果が最大7年程度しか持続しないこと、そして薬剤がマツ自体にも悪い影響を与える場合があること、があげられています。この方法は松林の中でシンボルとなっているような有名な木に限って施されることが多いのですが、そうしたマツには老木で衰弱したものもあるので注意が必要です。

以上の三大対策のほかにも、たとえばマツノマダラカミキリの天敵の利用法についての研究なども進められています。しかし、このカミキリばかりを食べる野鳥はいないようですし、このカミキリにだけついて衰弱させるような寄生虫、微生物も見つかっていません。

もう一つ、松くい虫対策として重要なのがマツノザイセンチュウ抵抗性のマツです。松くい虫にやられにくい品種のマツを開発する研究は長く続けられ、東日本大震災のあと各地の海岸に植えられたマツの苗のほとんどは、抵抗性の品種でした。名取市の海岸でも、一部をのぞき抵抗性品種の種子から育てた苗を植えました。

抵抗性には多様な品種があるのですが、基本的なつくり方は以下の通りです。

① 松くい虫の被害を受けた松林の中で生き残ったマツを接ぎ木などで育てる

② ①にあらためてマツノザイセンチュウを人工的に注入し経過をみる

③　②で枯れなかったものにもう一度マツノザイセンチュウを注入、それでも生き残った苗が「二次検定合格木」になる

④　一次検定合格木を接ぎ木などで増やし、枯らす力が強いマツノザイセンチュウをあらためて注入、生き残ったものを選ぶ（二次検定）

――宮城県林業技術総合センターのホームページより

こうしてつくられた親木からとったタネを育てた苗が、各地では植えられました。震災後にタネの需要が急増したため、名取のプロジェクトでは宮城県産だけでなく、岡山、香川、徳島などの県からも抵抗性品種のタネの供給を受けました。

では、成長した抵抗性マツの苗は、松くい虫に対してどの程度強いのでしょうか。「枯れないマツではなく枯れにくいマツに過ぎない」という見方で専門家は一致しています。前に記したように、高温・乾燥などの条件でマツノマダラカミキリやマツノザイセンチュウの活動が活発になったり、より強力なマツノザイセンチュウが出てきたりする可能性もあります。

加えて抵抗性品種は「松くい虫に強い」という一点で選抜されたものであり、抵抗性クロマツという単一品種の林には、これまで知られていない「弱点」があるかもしれないのです。

だから、抵抗性がもっと強い品種の開発とともに、これまで述べてきたような対策が欠かせません。しかし、一方では「枯れにくい」ということも大切です。被害の進行が遅ければ、対

策にかけられる時間も長くなるからです。この病虫害はいったん爆発的に流行すれば、人の手ではコントロール不能になります。抵抗性品種によって、そうした事態を避けられる可能性が高くなった、とは言えるのではないでしょうか。

震災で被災した海岸では、マツだけでなくマツノマダラカミキリもマツノザイセンチュウも一度は姿を消したかもしれません。しかし、周辺5キロメートル程度にあるマツが松くい虫に感染すれば、危険信号です。今後、震災後に植えられた各地の海岸林が松くい虫の脅威にさらされるときがやってくることは覚悟しておかなければなりません。

そのときに備えて何をすべきか、国や自治体の対策も大事です。そして、地元の人々を中心とした「たくさんの目」が早期発見には欠かせない、ということも専門家が口をそろえて強調するポイントなのです。

※松くい虫対策の研究者である森林総合研究所の中村克典氏の話などをもとにまとめました

●名取市海岸林再生プロジェクトこれまでのあゆみ

2011年	3月11日	東日本大震災。国がまとめた海岸林の被害は青森、岩手、宮城、福島、茨城、千葉の6県で3,660haに及んだ
	17日	オイスカが林野庁に海岸林再生への協力を申し出る
	4月21日	ヘリコプターで東北太平洋岸の被災海岸林を調査
	5月11日	企業でプロジェクトの計画などを紹介。企業などに向けた報告会は、その後、全国各地で実施し、2023年12月までに291回、44,258人が参加
	5月24日	宮城県名取市で被災者や地元自治体、林業関係者らと初の話し合いと視察。その後、プロジェクトの実施地を名取市に絞り込む
	7月11日	東京で海岸林再生の必要性を訴えるシンポジウム。行政や企業関係、研究者、名取市民ら350人参加。寄付などの協力も呼びかける
	9月22日	「海岸林再生プロジェクト」を発表。仙台平野の海岸約100haに50万本のクロマツを10年かけて植え、必要な10億円はすべて民間からの寄付金を充てるという計画の概要を公表し、あわせて募金も開始
	11月28日	マツの種苗を扱うため、地元の被災農家ら11人が宮城県の講習会を受講し資格をとる
2012年	2月〜	苗木を育てる圃場や、育苗場に隣接するプレハブの事務所の整備
	2月1日	「今後における海岸防災林の再生について」と題する報告書を政府の検討会（座長・太田猛彦東大名誉教授）が発表。震災後に各地で進められる海岸林再生事業の指針になった
	2月29日	「名取市海岸林再生の会」設立。被災農家ら約30人が参加し、おもにクロマツの苗木の生産を担う

	3月11日	震災1年。長谷川閑史代表幹事ら経済同友会が現場を視察。国内外の企業・団体や学校、農業・林業関係者らの視察はいまも続く
	3月30日	はじめての播種。クロマツの種子2kg、約10万粒を苗畑に直まき。発芽確認は2～3週間後という見通しより大幅に遅れ、播種から29日目の4月28日だった
	7月13日	支援企業の20人が育苗場で除草のボランティア活動。それまでにも、事務所の建設や育苗場を囲む防風ネットの設置などに支援企業から応援があった。ボランティア活動は海岸への植えつけが始まる２０１４年から本格的になる
2013年	4月16日	播種後1年たった苗の植え替え（床替え）。それから1年後に海岸に植えつける。植え替え作業は、コンテナポットを使うようになり不要に
	20日	二度目の播種開始。この年は畑への直まきとコンテナへの播種とを併用。前年の発芽の遅れを踏まえ、時期を3週間遅らせ5月半ばにかけて実施した
	4～5月	4月21日、宮城県南部に4月下旬としては66年ぶりに積雪。5月は宮城県の降水量が観測史上最低レベルになるなど、天候の異変が続いた
2014年	2月13日	宮城県、名取市、再生の会、オイスカが海岸林のうち県有林、市有林の再生に関する協定を締結。28日には国有林についても国とオイスカが協定を結び、プロジェクトの法的な枠組みが整った
	4月28日	はじめて海岸に植えつけ（5月28日まで、７５，０００本）。作業は林業関係者が担当した
	5月2日	16日にかけて、クロマツ、アカマツの播種。全面的にコンテナに移行
	5月17日	初の公募ボランティアに77人参加。春から秋にかけての第3土曜日が「ボランティアの日」に決められ、各地からの参加者は除草や水はけのための溝づくりなどを担当した。２０２３年12月までに、のべ１３，９２４人が参加
	5月24日	第一回植樹祭。地元市民ら３５０人が参加し、プロの指導を受けながら植えつけ。市民が植樹の作業を体験できるのは1年でこの日だけ

	7月3日	植栽地の調査で苗の98・6％が活着していることを確認
	10月26日	大阪マラソンのチャリティ寄付先団体に選ばれ、プロジェクトを寄付先団体に選んだ23人が走る。２０２４年まで８大会連続（２０２０年は中止）
	11月21日	寄付やボランティア活動に協力する企業・団体の担当者向けに活動の報告会。その後、毎年この時期に実施
２０１５年	4月21日	クロマツの海岸への植えつけ開始（28日まで４０，０００本）
	27日	28日までにクロマツの種子９０，０００粒を播種
	5月23日	第二回植樹祭。４８０人が参加し２haに約１０，０００本植えつけ
２０１６年	3月1日	ＪＲ名取駅の市民ギャラリーで初の写真展。２０１９年12月までに９回開催
	4月18日	海岸への植えつけ開始（約５０，０００本）
	5月2日	播種開始。約10万粒
	5月21日	第三回植樹祭。宮城県名取北高の生徒29人を含む地元市民ら５２０人が参加
	8月2日	仙台市立長町中学校の生徒ら78人が除草などの活動。中・高校生の体験学習が増えてくる
	22日	観測史上はじめて宮城県に台風が直接上陸、防風柵が吹き飛ばされる被害が出た
２０１７年	3月18日	繰り返し参加するボランティアが名取市消防本部で救命講習を受け、ＡＥＤの使い方などを学ぶ
	24日	宮城県の山林苗畑品評会で、再生の会の苗が最優秀賞受賞。７月には全国の品評会で林野庁長官賞を受賞
	4月17日	植えつけ開始。この年までに51ha、26万５，０００本の植えつけを終えた。これは作業道などを除く植栽可能面積の８割にあたる

	27日	播種。二日間に57，000粒
	5月20日	植樹祭に約500人。うち名取北高校からは生徒91人が参加
	7月24日	プロジェクトが第一回インフラメンテナンス大賞の農林水産大臣賞を受賞
2018年	3月7日	林野庁、宮城県、名取市、オイスカ、再生の会の第一回情報交換会。今後の課題やビジョンなどを語り合う。2019年11月までに3回開催
	4月16日	植えつけ開始。16ha、80，000本あまり
	26日	プロジェクト最後の播種。約5万粒
	5月19日	植樹祭。名取市民ら530人が参加
	7月5日	復興庁から被災地の復興への貢献に対する感謝状を受ける
2019年	3月22日	宮城県が主催する防災林検討委員会に出席し、今後の防災林の管理方法などについて協議
	3月23日	名取北高校の野球部員と教員29人が水はけのための溝づくりをおこなう。部活単位でのボランティア活動参加は初めて
	5月9日	津波で生き残ったクロマツの間に植えつけ開始（2ha、6，000本）
2020年	3～8月	新型コロナウイルス感染拡大防止のため、ボランティア活動を中止
	5月7日	宮城県と締結している「みやぎ海岸林再生みんなの森林づくり活動」の協定面積に6・42haを追加。国・県・市との協定総面積が103・04haに変更
	5月12日	植えつけ開始。1・57ha、7，850本。
	10月5日	プロジェクト最後の植えつけ開始。3・75ha、20，050本。

２０２１年	3月23日	宮城県から海岸林再生に尽力したことに対する感謝状を受ける
	7月21日	名取市海岸林再生の会が建てた「海岸林再生の碑」の除幕式
	10月2日	マツノマダラカミキリの幼虫を植栽地内で初めて確認
	10月24日	香川県立高松北高校の教員・生徒27人が防災対策や環境再生の取り組みを学ぶ研修旅行の一環でボランティア活動に参加
２０２２年	1月17日	本数調整伐（間伐）開始。対象は２０１４年の植栽地のうち１０・１３ha
	3月30日	北釜防災公園内にプロジェクトを紹介するパネルを設置
	12月9日	宮城県内の高校生３人と大学生１人が、佐賀県唐津市の「虹の松原」での研修に参加。２０２３年3月にも高校生１人と大学生２人がこの研修に参加。
２０２３年	1月12日	本数調整伐（間伐）開始。対象は２０１４年、２０１５年植栽の１４・５３ha
	7月3日	オイスカの吉田俊通が名取北高校3年の「生物」で海岸林と居久根（屋敷林）についての授業を担当

● 東北地方の地震・津波被害と名取地区の海岸林史

東北地方の地震・津波被害	西暦	名取地区の海岸林史
貞観地震　7月13日　マグニチュード8・3 溺死者1，000人	869 （貞観11年）	
慶長三陸地震　12月2日　M8・1 伊達政宗領内で死者1，783人	1611 （慶長16年）	
	17世紀	飛砂や強風、高波などから海浜に開発した新田を守るため、海岸にクロマツの植栽が進む
	1695 （元禄8年）	「山林方定書（さんりんかたさだめがき）」に収められた藩の通達のなかに、宮城国分・名取・亘理、その他の地域に存在する「須賀松（すかまつ）※」はすべて「上意」によって、「浪塩風除（なみしおかぜよけ）」のため、「所の者に植えさせ候」と記される　（※須賀は海岸の砂地を意味する）
	1701 （元禄14年）	徳川幕府に提出した『仙台領国絵図』（宮城県図書館所蔵）の名取海岸一帯にクロマツが描かれる（35ページ参照）
寛政地震　2月17日　M8・0～8・4 流失家屋1，730棟以上、死者44人以上	1793 （寛政5年）	
	1853 （嘉永6年）	『御領分中海岸筋村々里数等調並海岸図』（仙台市博物館所蔵）に、マツが名取海岸に二列、北釜地区は集落を囲むように描かれる。名取川河口右岸には、2006年に市登録文化財に指定された「閖上土手の松並（あんどん松）」が確認できる（口絵参照）

1878（明治11年）		県作成の官林帳簿『官林原表』（宮城県公文書館所蔵）に「下増田村支郷北釜浜」「閖上浜」の2ヶ村に「風潮除」の官林の記述がある。「下増田村支郷北釜浜」には、56町4反歩（約56ha）にマツ3万9700本があり、うち直径3尺（約90cm）以上が7，200本と記す
1896（明治29年）	**明治三陸地震**　6月15日　M8・2 溺死者27，122人 家屋全半壊・流失10，617戸 岩手県気仙郡高田町（現　陸前高田市）の高田松原が減災効果を発揮したことが発見され、津波対策として植林事業を重要視する	
1906～1914（明治39年～大正3年）		前年の東北地方大凶作による失業者への扶助事業の一つとして、全国からの義援金をもとに植林事業が実施される。名取郡海岸林保護組合連合会「名取地区海岸砂地造林について」によると、1914年（大正3）までの8年間で96，000本のクロマツを植える
1916（大正5年）		大正天皇即位記念の植林事業が全国的に展開され、下増田村民が5日間で36町8反歩（約36ha）にマツ30万本を植えたと「大正天皇即位記念植樹碑」に残る
1932（昭和7年）		ニューヨーク株式市場株価暴落（1929年）に端を発した昭和恐慌と1931・34年の冷害のため、生活に困窮する農村に労賃を得させようと、国の産業奨励政策として「海岸砂防造林奨励事業」を取り上げる。3ヵ年計画で県全体で91haを造成
1933（昭和8年）	**昭和三陸地震**　3月3日　M8・1 死者・行方不明者3，064人 家屋流失・倒壊5，851戸	

1935（昭和10年）	昭和三陸地震（1933）で防潮林の効果が評価され、国の補助事業「震嘯（しんしょう）防止災害防潮林造成事業5ヵ年計画」を策定。名取海岸で16 ha造成
1935～1944（昭和10～19年）	国が災害防止林造成規則を制定し、全国規模で「災害防止防潮林並びに防風林造成事業」に取り組むこととなった。県下でも国の助成を受けた県営事業が計画、着手され、藩政時代に植林が始まった海岸林の海側に、北釜集落から広浦東岸まで、幅員の拡大と延長をはかる
1937～1940（昭和12～15年）	旧陸軍飛行場建設のため農地を接収された北釜の農民たちに、代替地として国有の海岸林約50 haが払い下げられ、北釜開墾耕地組合が3年かけて農地に開墾
1946（昭和21年）	「北釜海岸林保護組合」設立。同年末までに宮城県下で22組合設立
1948（昭和23年）	北釜開墾耕地組合が仙台営林署に潮害防備林の補強を要請し、県の指導のもと、北釜住民も協力し10ヵ年計画で植林事業を開始
1949（昭和24年）	文部・農林両省が天然資源保存と公共福祉への貢献のため、学校植林5ヵ年計画を立て、全国的に学校植林運動を展開。名取市下増田小学校は1952年（昭和27）の学校植林コンクール小学校の部で全国第一位になる
1953（昭和28年）	国が名取海岸を「保安施設地区」に指定する

1954～1960（昭和29～35年）		飛砂被害のため後方のクロマツ林が劣化、背後の名取平野を飛砂や潮風から守るため、県の事業で汀線から200mほどの前浜に、連続して4キロの保安林を整備。これにより名取海岸の保安林の植林事業は完了に近づいた。多くの雇用が住民の貴重な収入源となった
1959（昭和34年）		北釜の植林関係者が植林記念の石碑「愛林碑」を広浦の入り江に建立
1960（昭和35年）	**チリ地震津波**　5月23日　M8・5 死者行方不明者139人 建物の全半壊流失5，013戸	
1969（昭和44年）		これまで、海岸林造成事業は県から海岸林保護組合に作業委託し、地元住民が担っていたが、植林から育林主体となり作業量が減ったこと、津波対策はコンクリート防潮堤建設が主体となってきたこと、会計検査の問題などから、一般の請負工事として業者に委託することとなる。海岸林の作業のほとんどが住民の手から離れる
1970（昭和45年）		藩政時代の17世紀半ば以降に植えられた最古のクロマツ林約70haが、仙台空港拡張のため失われた農地の代替地として開発され消滅
1978（昭和53年）	**宮城県沖地震**　6月12日　M7・4 死者28人、全半壊家屋6，757戸	
2011（平成23年）	**東北地方太平洋沖地震（東日本大震災）** 3月11日　M9・0 死者行方不明者22，010人 全半壊住家400，305戸	県全体での海岸林の浸水面積1，753ha、そのうち750haが甚大な被害を受ける。名取市の被害面積は126・2ha

● プロジェクトのこれまでの実績

	植栽本数	植栽面積	本数調整伐（間伐）面積	ボランティア数（のべ人数）	寄付金額（民間助成金含）
2011～13年度	—	—	—	262 人	240,478,577 円
2014年度	80,182 本	15.67 ha	—	1,365 人	100,263,158 円
2015年度	55,084 本	10.06 ha	—	1,691 人	101,024,711 円
2016年度	56,037 本	11.00 ha	—	1,800 人	89,502,022 円
2017年度	71,945 本	13.66 ha	—	2,096 人	84,045,449 円
2018年度	81,600 本	16.32 ha	—	2,273 人	89,877,990 円
2019年度	6,000 本	2.00 ha	—	1,892 人	76,392,139 円
2020年度	20,050 本	3.75 ha	—	270 人	68,918,122 円
2021年度	—	—	10.13 ha	313 人	35,832,364 円
2022年度	—	—	14.53 ha	868 人	33,021,222 円
合計	370,898 本	72.46 ha	24.66 ha	12,830 人	919,355,754 円

〈参考資料〉
仙台管区気象台　https://www.jma-net.go.jp/sendai/jishin-kazan/higai.htm
菊池慶子「仙台湾岸における防災林の植林史」
菊池慶子「近世の東北に成立した海岸防災林」
菊池慶子「失われた黒松林の歴史復元」
名取郡海岸林保護組合連合会「名取地区海岸砂地造林について」
宮城県林務部「海岸防災林造成事業二十周年記念 宮城県の海岸林」
宮城県林業振興協会「宮城の海岸林」
東日本大震災に係る海岸防災林の再生に関する検討会「今後における海岸防災林の再生について」

あとがき

震災から10年。復興の多くがそうであるように、これも未完の記録です。いま、海岸のマツの苗は人間が備えた風よけ、砂よけの柵によって守られています。マツが人間を風や砂から守り、さらには津波などの自然災害と最前線で戦えるようになるまで、まだ長い年月がかかります。そしてもう一つ、マツには松くい虫という手ごわい「疫病」との戦いが待っているかもしれないのです。これからも、人間とマツと共同戦線を張らなければ、どの戦いに勝つこともおぼつかないでしょう。

マツは厳しい環境に耐えられる植物ですから過保護である必要はありません。しかし、一方で、適度に人間の目が届いていることがマツの健康を守るためには大切です。ほったらかしというわけにはいかないのです。

苗づくりを担った「名取市海岸林再生の会」の会員をはじめ、プロジェクトにかかわってきた地元の人々の中心は、私と同世代か、上の年齢の人々です。より若い世代の人たちが知ってくれること、関心を持ってくれること、そして、目になってくれることを期待しています。たとえば、ボランティアに来た若い人たちが今後どういう形で名取の海岸林とかかわっていくのか。それは数十年先の松林の姿を左右することになるでしょう。

多くの人に出会うことでこの記録はできあがりました。時間をさいて貴重な話を聞かせてくれたすべての方々に感謝します。友人、知人を紹介してもらったり、資料を見せてもらったり。そうしたことの積み重ねが本という形になりました。付録のイラストレーター、ｉｃｏ．さんは名取市閖上出身の女性です。

十分に書けなかったこのプロジェクトの技術的なことは、参考文献に挙げた佐々木廣一さんの論文やオイスカのホームページにある清藤城宏さんの記録などを読んで知っていただきたいと思います。

再生の会のメンバーとは、「このプロジェクトがなければ、お互い絶対に会わなかったねえ」と話すことがあります。その通りです。旅行と短期の出張以外に東北とは無縁だった私にとっては、出会いそのものが貴重でした。

本の中に登場する人のうち何人かは、話を聞いたときは元気だったのにその後亡くなっています。本文ではあえてそのことには触れませんでしたが、震災から10年になるという時の流れを思わざるをえません。

機関誌の連載に始まって本にするまで、公益財団法人オイスカの皆さんには大変お世話になりました。この記録を書くにあたっては、オイスカというプロジェクトの担い手ではなく、外部の視点を保つことを自分に課してはいましたが、その自由を認めてもらったうえで、オイスカには図々しくもあらゆることに協力をあおぎました。とくに啓発普及部の鈴木和代さんには、資料集めや写真、イラストの手配から原稿の第一読者までお願いしました。この本はそうした共同作業があってこそ生まれたものです。

編集者の平松利津子さんは、「奇跡の一本松」の岩手県陸前高田市の出身。彼女の海岸林再生というテーマへの関心が、私の背中を押し続けてくれました。

２０２０年12月

増補改訂版あとがき

４年前に始まった新型コロナウイルス流行の間もマツは成長します。プロジェクトはずっと続いてきました。いま、一番難しい離陸・上昇の時期を乗り切り、水平飛行に移ったと言えばいいでしょうか。震災から11年目以降のトピックをまとめた終章で、初版以降の動きを知っていただけると思います。

一時は中止せざるを得なかったボランティアの活動も再開し、名取の現場に活気が戻りました。この本の感想文を書いてくれた高校生・大学生７人と一緒に、佐賀県の虹の松原で研修する機会もありました。若い人たちとプロジェクトの結びつきが少しずつ強くなっていることに、「あした」への希望をみています。

２０２４年２月　小林　省太

主な参考文献

・石井洋二郎「フランス的思考」(2010年、中公新書)
・太田猛彦「森林飽和—国土の変貌を考える」(2012年、NHK出版)
・太田猛彦「平成時代における治山事業の変遷」(「山林」第1633号所収、2020年、大日本山林会)
・大脇兵七「好きです閖上—閖上の歴史の一端をひもどく」(2006年)
・岡浩平・平吹喜彦編「津波が来た海辺—よみがえる里山の自然と暮らし」(2020年、東北学院大学)
・岡崎一郎「閖上風土記」(1977年)
・菊池慶子「仙台藩の防潮林と村の暮らし」(「徳川の歴史再発見　森林の江戸学Ⅱ」所収、2015年、東京堂出版)
・菊池慶子「仙台湾の海岸林と村の暮らし　クロマツを植えて災害に備える」(2016年、蕃山房)
・菊池慶子「仙台湾岸における防災林の植林史—宮城県名取市海岸部を中心に」(東北学院大学論集「歴史と文化」第55号所収、2017年)
・菊池慶子「海岸林の資源利用としての『松葉さらい』—仙台湾岸地域を事例に」(「北の歴史から」第1号所収、2019年、非売品)
・小山晴子「よみがえれ海岸林—3・11大津波と仙台湾の松林」(2012年、秋田文化出版)
・小山晴子「津波から七年目—海岸林は今」(2018年、秋田文化出版)
・小山晴子、河野裕、小畑智恵「よみがえれ千代の松原—『みやぎの海岸林物語』(2016年、宮城県緑化推進委員会)

・佐々木廣一「海岸林再生プロジェクト―植栽と保育の実際」（『森林技術』第900号所収、2017年、日本森林技術協会）
・佐々木廣一「名取市海岸における海岸林再生植林等の取組み―実行方法と生育状況」（『水利科学』第375号所収、2020年、日本治山治水協会）
・志賀理江子「掘った穴を埋めて掘り返して埋めてまた掘る」（『ミルフイユ03』所収、2011年、赤々舎）
・志賀理江子「消えたか否か未ださめぬ」（『ミルフイユ04』所収、2012年、赤々舎）
・志賀理江子、せんだいメディアテーク「螺旋海岸 notebook」（2012年、赤々舎）
・高倉浩樹、滝澤克彦「無形民俗文化財が被災するということ―東日本大震災と宮城県沿岸部地域社会の民俗誌」（2014年、新泉社）
・太宰幸子「地名は知っていた〈下〉 七ヶ浜〜山元 津波被災地を歩く」（2012年、河北新報出版センター）
・近田文弘「海岸林が消える?!」（2000年、大日本図書）
・中島敦「悟浄歎異」（『李陵・山月記 弟子・名人伝』所収、1968年、角川文庫）
・中村克典「東日本大震災津波で被害を受けた海岸マツ林について考え直す」（『國立公園』第731号所収、2015年、自然公園財団）
・中村克典「東北地方における近年の松くい虫被害拡大の実態と防除対策」（『林業と薬剤』第211号所収、2015年、林業薬剤協会）
・名取教育会「名取郡誌」（1973年＝1925年版を復刻、名著出版）
・名取市史編纂委員会「名取市史」（1977年、名取市）
・宮城県名取市「名取市における東日本大震災の概要」（2015年、名取市）

・日本緑化センター「日本の松原物語―海岸林の過去・現在・未来を考える」（２００９年）
・農商務省山林局「海岸砂防植栽事業ニ関スル調査」（１９１８年）
・早坂泰子、河井隆、小野和子『閖上』津波に消えた町のむかしの暮らし」（２０１４年、みやぎ民話の会）
・星善吉「ふるさと北釜物語《あれこれ》」（２００４年、非売品）
・宮城県林業振興協会「宮城県の海岸林―その歴史と東日本大震災からの再生を目指して」（２０１４年）
・宮城縣林務部、宮城縣海岸林保護組合連合會「宮城縣の海岸林　海岸防災林造成事業二十周年記念」（１９５３年）
・宮脇昭「瓦礫を活かす『森の防波堤』が命を守る―植樹による復興・防災の緊急提言」（２０１１年、学研パブリッシング）
・宮脇昭「『森の長城』が日本を救う―列島の海岸線を『いのちの森』でつなごう」（２０１２年、河出書房新社）
・宮脇昭「瓦礫を活かす森の防波堤―植樹による復興プランが日本を救う！」（２０１３年、学研パブリッシング）
・村上龍、はまのゆか「新13歳のハローワーク」（２０１０年、幻冬舎）
・ゆりあげざっこ写友会「むかしの写真集　閖上―大切なふるさと　懐かしい町並み」（２０１１年改訂）

こばやし・しょうた

1955(昭和30)年東京都生まれ。東京大学文学部卒。日本経済新聞社入社。ウィーン支局長、パリ支局長、文化部長などを経て論説委員。退職後、公益財団法人オイスカのアドバイザー。共著、一部訳に『フランス女性はなぜ結婚しないで子どもを産むのか』(勁草書房)、『映画監督 小林正樹』(岩波書店)など

松がつなぐあした

—震災10年 海岸林再生の記録—

2020年12月15日 初版第1刷発行
2024年2月15日 増補改訂1刷発行

文 小林 省太

編集 平松 利津子
デザイン 村上 史恵
制作 株式会社アスワン・エンタテインメント
発行人 伊東 英夫
発行所 愛育出版
〒116-0014
東京都荒川区東日暮里5-5-9
電話 03-5604-9431
FAX 03-5604-9430

印刷所 シナノ書籍印刷

ISBN978-4-909080-55-4